Cocina rica y sabrosa
con la dieta mediterránea

Equipo de expertos Cocinova

COCINA RICA Y SABROSA CON LA DIETA MEDITERRÁNEA

De Vecchi
DV E
ediciones

Ilustraciones archivos De Vecchi.

© De Vecchi Ediciones, S. A. 2011
Diagonal 519-521, 2º - 08029 Barcelona
Depósito Legal: M. 10.656-2011
ISBN: 978-84-315-5085-1

Editorial De Vecchi, S. A. de C. V.
Nogal, 16 Col. Sta. María Ribera
06400 Delegación Cuauhtémoc
México

Índice

Prólogo

La antigua palabra griega *diaita*, de la que deriva *dieta*, significa «estilo de vida equilibrada», y esto es exactamente lo que es la dieta mediterránea. Mucho más que una pauta nutricional, es un estilo de vida en el que los alimentos dejan de ser unos meros nutrientes.

En el Mediterráneo, cuando hablamos de los principales ingredientes de la dieta, a la trilogía trigo/vid/olivo, a las legumbres, a las verduras, a las frutas o al pescado es necesario añadirles un condimento muy especial y particular, quizás el ingrediente básico: la sociabilidad. Una sociabilidad que permite a este estilo de vida combinar ingredientes de la agricultura local, recetas y formas de cocinar propias de cada rincón en comidas compartidas, celebraciones y tradiciones. Todo ello unido a la práctica del ejercicio físico moderado y favorecido por un clima benigno redondean este círculo perfecto que la ciencia moderna nos invita a adoptar en beneficio de nuestra salud.

Así, nuestra estimada dieta mediterránea es el fruto de una fantástica herencia cultural que compartimos todos los pueblos de la cuenca mediterránea, y que se basa en una combinación equilibrada y completa de alimentos, fundamentalmente productos frescos, locales y de temporada, en la medida de lo posible.

De esta forma, cada región mediterránea y cada pueblo han aportado sus olores, ingredientes, combinaciones y platos, haciendo de este estilo de vida una fuente de gran riqueza nutricional, que, además, es saludable. Y aunque la dieta mediterránea tiene siglos de antigüedad, sus beneficios para la salud se han dado a conocer hace relativamente pocos años, a raíz de múltiples estudios que han demostrado su efecto protector frente a numerosas enfermedades.

Sin embargo, y por desgracia, cada vez existen más estudios que también nos demuestran que nos alejamos de forma paulatina del modelo de vida asociado a la dieta mediterránea. Una dieta que aunque tenemos la impresión de conocer mucho y bien, parece que necesita más iniciativas —como este completísimo libro— que nos ayuden a refrescar cuál es su origen y en qué consiste realmente, y que también nos proporcionen, como en este caso, recetas muy prácticas y variadas que nos ayuden a darnos cuenta de que seguirla no es una esclavitud, sino básicamente un placer. Un placer para los cinco sentidos que podemos compartir y disfrutar, cuidando además de nuestra salud. ¿Qué más se puede pedir?

Montse Fernández
Directora de las revistas *Cocina Viva,*
Cocina Sana,
Comer y Beber
y *Cocinar con TMX*

Introducción

El Mediterráneo, o Mare Nostrum, es un mar con un número importante de costas que pertenecen a países con culturas muy diversas y que incluso se encuentran en continentes distintos, pero todos ellos, a pesar de hablar lenguas muy diferentes en algunos casos y tener costumbres nada parecidas, tienen un vínculo que los une: su cocina.

La llamada *cocina* o *dieta mediterránea* agrupa a una serie de países aparentemente tan dispares como España, Francia, Italia, Grecia, Turquía, Chipre, Israel, Egipto, Marruecos, Túnez, Argelia, Líbano y Siria, entre otros.

Cada país, cada cultura, refleja su filosofía vital y su historia en su gastronomía de una manera propia y característica.

La cocina que caracteriza una zona determinada conlleva cientos de años de influencias diversas, asimiladas siempre con un toque personalizado que le da un carácter propio e inigualable.

Ahora bien, ¿qué es lo que se entiende por dieta mediterránea? ¿Qué puede tener en común la gastronomía de una larga serie de países tan dispares? Principalmente, los ingredientes de base que componen la alimentación de sus habitantes.

Pero ¿qué los hace ser diferentes? Pues sencillamente la manera de mezclar, cocinar y condimentar esos ingredientes.

En este libro analizaremos todos esos aspectos que hacen que la dieta mediterránea haya sido declarada Patrimonio Cultural Inmaterial de la Humanidad por la Unesco, por sus probados beneficios sobre la salud.

Además, proporcionaremos recetas tradicionales de la cocina mediterránea y presentaremos algunas sugerencias de menús para combinarlas.

Historia y tradición de la dieta mediterránea

La civilización egipcia fue una de las primeras en hacer sus aportaciones a la llamada dieta mediterránea, al incorporar la fabricación de la cerveza y del pan utilizando la levadura. Estos dos productos entraron en Grecia y Roma a través de Chipre, extendiéndose a continuación por toda Europa.

La civilización griega, por su parte, introdujo la elaboración del pan de trigo, así como el consumo de la carne de cerdo en embutido y la elaboración de ciertos platos cuya base era el pescado. La grasa que utilizaban para cocinar la extraían de las aceitunas, y el consumo de vino era más que habitual.

Roma tomó como punto de partida la cultura culinaria griega y la adaptó al gusto de los habitantes del Imperio. Así, el aceite, el pan, la harina y el vino, junto con las frutas, constituirán la base de su cocina.

La península arábiga, que llegó a dominar gran parte del Mediterráneo, y que se caracterizó por ser un auténtico cruce de rutas comerciales entre Oriente y Occidente, dejó notar su influencia, especialmente en España, que se convirtió en el auténtico trampolín de su cultura hacia Europa.

La agricultura árabe transformó el panorama agrícola de España. Sistemas nuevos de riego, productos desconocidos y modernización fueron sus puntas de lanza.

La caña de azúcar, el cultivo del arroz, la enorme variedad de frutas y hortalizas y las hierbas aromáticas sentarán las bases de una forma de cocinar muy diferente a la que había hasta ese momento.

La influencia llegó a ser tan poderosa que pervivió con fuerza durante la Edad Media. Posteriormente, con las cruzadas, se acabaría de definir la cocina medieval.

El resultado fue una gastronomía básicamente integrada por carnes y especias.

El Renacimiento trajo influencias italianas como, por ejemplo, la costumbre de rematar las comidas con un postre.

El descubrimiento de América supuso también un hecho capital en la gastronomía europea, al incorporar nuevos alimentos desconocidos hasta el momento, como la patata, el tomate o el pimiento.

El siglo XVIII vivió el dominio de la cultura francesa. Se produjeron cambios en la cocción de los ingredientes, así como en la preparación y presentación de los alimentos una vez cocinados.

Todas estas influencias culturales se transformaron en una manera parecida de concebir los alimentos considerados básicos para el consumo, teniendo como punto de intersección el mar Mediterráneo o, lo que es lo mismo, la «cultura mediterránea», verdadero punto de encuentro de seres con culturas, lenguas y religiones dispares pero con componentes comunes.

La cocina mediterránea en España

La gastronomía del litoral mediterráneo español se ha enriquecido de las tres culturas básicas que componen el sustrato cultural español: la cristiana, la árabe y la judía, creando una amalgama de platos, de aromas y de sabores que le otorgan una personalidad propia y distintiva.

Es importante destacar, no obstante, que muchos de estos platos son comunes a distintas culturas autonómicas, pero a menudo son interpretados, preparados y denominados de maneras diferentes.

Veamos ahora algunos de los componentes fundamentales de las distintas gastronomías.

Andalucía

El primer elemento que destaca en su cocina es la influencia árabe, que se mantiene muy viva y que ha dado lugar a lo que hoy se conoce como cocina arábigo-andaluza.

Andalucía es una tierra con grandes contrastes entre las ocho provincias que la componen: suelos y aguas distintas, condiciones climáticas muy variadas… Todo ello posibilita una cultura culinaria rica y heterogénea.

La gastronomía andaluza puede dividirse en dos grandes bloques: por una parte, la cocina del mar, y por otra, la cocina serrana o de tierra adentro. El punto de unión entre ambas son los potajes y las ollas, que se cocinan tanto en el litoral como en el interior.

La cocina más sencilla y natural es la de Almería, que combina el elemento rústico con el marinero: la *olla de trigo* (variante del cocido) o el *ajo colorao* (a base de patatas, pimientos, cebolla y ajo), así como las tortas de gachas, caracterizan sus tierras.

Tres productos identifican la cocina malagueña: las uvas moscatel, la variedad de gazpachos (el ajo blanco, la porra antequerana…) y el pescado de la costa, en especial los boquerones.

Granada simboliza la cocina del frío combinando la tortilla del Sacromonte con las sabrosas habas a la granadina.

Por su parte, Córdoba y Jaén ofrecen dos gastronomías muy similares que se fundamentan en la importancia del aceite.

Cabe destacar el salmorejo y el rabo de toro, en Córdoba, y el ajilimójili y la pipirrana, en Jaén.

La *berza*, una especie de cocido con garbanzos, carnes diversas y berzas, es uno de los platos propios del litoral gaditano, donde destaca también el *abajá* de Algeciras, guiso marinero que combina distintas clases de pescados.

Huelva ofrece una cocina que se mueve entre el mar y la sierra. No resulta difícil escoger dos de los productos más representativos de su repertorio: los chocos y el jamón de Jabugo.

Finalmente, Sevilla es la tierra de las tapas y su originalidad reside en gran parte en el arte tan variado que emplean en prepararlas, sin menospreciar la ternera a la sevillana o el menudo.

Los postres, en Andalucía, reflejan de manera muy directa la fusión entre la influencia árabe y judía, que se plasma en creaciones como los roscos de anís, los cortaditos de cidra, los mojicones, los mantecados y polvorones, los roscos de vino, o el conocido tocino de cielo, originario de Jerez, postre creado para aprovechar las yemas que sobraban en las bodegas, por la costumbre de clarificar los vinos con clara de huevo.

Murcia

La gastronomía murciana sobresale especialmente por la calidad y variedad de su huerta, que sabe combinar con el secano y con el mar.

Las menestras y las verduras a la plancha, el zarangollo y las habas tiernas se combinan con el arroz al caldero, la olla gitana o los archiconocidos pasteles de carne, sin olvidar las yemas de Caravaca.

Valencia

La comunidad valenciana se identifica sobre todo por los arroces y los cítricos.

La variedad de arroces que presenta es impresionante. Desde la típica paella, pasando por el *arròs al forn*, el *arròs a banda* o el *arròs amb fesols, penques i naps*.

La *fideuà*, el *bullit* o la *olla de carbassa* y la gran variedad de pescados guisados, como el *all i pebre* de anguilas, caracterizan una de las zonas con una tradición gastronómica muy arraigada en las costumbres del pueblo.

Entre los postres, destacan los populares *fartons*, los *pastissets de moniato,* la horchata y el turrón de Jijona.

Baleares

Estas islas presentan una cocina plagada de influencias (no hay que olvidar las invasiones sufridas) y basada en la utilización de los productos locales.

De Mallorca vienen las ensaimadas, la sobrasada, las *coques*, la variedad de sopas (destacando la de col), el *arròs brut*, los pescados y la *porcella* (lechona) al horno.

Menorca aporta las distintas clases de calderetas, destacando la de langosta, así como la famosa salsa mayonesa o el queso de Mahón en todas sus variedades.

Finalmente, Ibiza sorprende por su *guisat de marisc* y por el *sofrit de pagès*. Dos elementos clave de la cocina ibicenca son la mezcla de dulce y salado (de connotaciones orientales), y el empleo de hierbas autóctonas para condimentar los guisos.

Cataluña

Cataluña presenta una cocina variada, muy apegada a sus tradiciones, que sabe combinar la carne y el pescado, la elaboración rural y la burguesa, y cuyo resultado es una gastronomía rica y refinada con claras influencias provenzales.

Mientras los pescados, mariscos y arroces predominan en el litoral, los asados y la caza lo hacen en el interior. La cocina catalana se caracteriza por la combinación de sabores dulces y salados, así como por la creación de las famosas picadas, los sofritos como base de muchos de sus platos y por el *all i oli* o el romesco como salsas para acompañar carne y pescado.

Entre los platos autóctonos destacan, asimismo, la *escudella i carn d'olla,* cocido típico catalán, acompañado de los *galets,* sobre todo en Navidad, y de la *pilota,* un conjunto de carnes picadas mezcladas con pan rallado, huevo, ajo y perejil.

También son importantes el bacalao, cocinado *a la llauna* o a la manera del

Ampurdán, las *mongetes seques* (alubias) con butifarra, los distintos tipos de *suquets de peix* o los *alls cremats*.

Las verduras y hortalizas tienen un papel predominante en platos como la *samfaina* o la *escalivada* (verduras asadas sobre el fuego y aliñadas), que se presentan como grandes acompañantes de las más deliciosas carnes, sin olvidar los distintos tipos de setas, entre las que destacan los *rovellons,* y, por supuesto, los *calçots* (cebollas tiernas asadas) o *els cargols* (caracoles).

Por último, postres como la crema catalana, los *panellets*, los *pastissets de Tortosa*, las *coques*, el *pa de pessic* o el *menjar blanc* hacen de la gastronomía catalana una de las más prestigiosas por su heterogeneidad y búsqueda de aromas y sabores propios.

La cocina mediterránea en el resto del mundo

En Francia, la dieta mediterránea encuentra su máxima expresión en la cocina provenzal, de carácter sencillo, potenciadora de aromas naturales y con una base de productos sanos y muy sabrosos.

Verduras, pescados, aceite de oliva y, sobre todo, las hierbas y los condimentos constituyen la base de una gastronomía refinada y cuya mejor característica es la naturalidad.

Fruto de todo ello es la *boullabaise* o sopa de pescado, tan típica de los pescadores mediterráneos, los distintos *gigots* o la famosa *ratatouille* de verduras.

La cocina corsa, al igual que la balear, se fundamenta en la producción y explotación de sus productos, destacando su sabroso queso *corsica* o los embutidos típicos conocidos como *figatelh* debido a su principal ingrediente: el hígado.

Italia presenta una gastronomía conocida en el mundo entero gracias a sus pizzas y a la extensa variedad de pastas que propone.

La imaginación a la hora de condimentar y presentar ambos platos constituye uno de los secretos y a la vez uno de los grandes logros de la gastronomía italiana.

El *pesto* (albahaca, aceite de oliva…), la salsa carbonara, la boloñesa, la siciliana y la famosa *mozzarella* se encuentran entre los ingredientes y condimentos más utilizados.

No hay que olvidar, además de sus carnes y arroces, las distintas formas de preparar las sardinas, una de las bases tradicionales de la cocina sarda.

Serbia, Croacia, Bosnia y Macedonia se caracterizan por el gran sincretismo a la hora de asimilar influencias gastronómicas muy variadas, destacando las *pitas*, una especie de finos panes redondos rellenos de carne y verduras.

Grecia, con sus más de 3.000 años de historia, aporta una alimentación que se fundamenta en la aceituna, la leche y la vid.

Así, hablar del aceite, el vino o el yogur griegos es hablar de los principales ingredientes de cualquier dieta sana y equilibrada.

La *moussaka* de berenjena o las hojas de parra rellenas de arroz son hoy en día platos presentes en la carta de cualquier restaurante occidental.

La gastronomía turca ha sido un claro ejemplo de hermandad de costumbres occidentales y orientales con predominio de estas últimas.

El cordero es uno de los pilares alimenticios —no hay que olvidar el origen pastoril de sus primeros moradores— representado por los conocidos *kebab* o pinchos. Las verduras, el arroz y la leche —yogur—

serán los principales acompañantes de las viandas. No hay que olvidar, por supuesto, la original manera de preparar el café.

Oriente Medio aporta también una alimentación rica y variada. Así, Líbano y Siria —que por su proximidad e historia presentan rasgos comunes— desarrollan una cocina basada en el trigo, el cordero, la verdura, los frutos secos y la leche.

El *humus* (puré de garbanzos mezclado con sésamo, pimentón y aceite), el *falafel* (croquetas de garbanzos, ajo y cominos) o los sabrosos postres elaborados con pistachos, almendras, miel y hojaldre remiten a aromas y sabores de ensueño y fantasía.

Israel, por su parte, elabora una cocina condicionada por unos principios religiosos muy rígidos que afectan al consumo y a la preparación de la carne y el pescado.

Ambos ingredientes serán preparados con almendras, cebollas, arroz, ajos y aceite, dando origen a una variedad de platos siempre presentes en las tradicionales fiestas religiosas, que reúnen a las familias en torno a una buena mesa.

Egipto continúa teniendo el pan —llamado *aish*— presente en una dieta muy antigua y que aún guarda un halo misterioso.

Las habas, los huevos, el arroz, el ajo, el aceite, el perejil y el limón dan origen a platos tan famosos como exquisitos.

Por último, los países del Magreb (Marruecos, Argelia, Túnez y Libia) ofrecen una cocina disciplinada con las reglas impuestas por el Corán y con una curiosa mezcla de costumbres propias, otomanas y otras de origen hispano-francés (debido a la colonización).

La base bereber está presente en el *couscous* (sémola de trigo cocida con verduras, caldo y cordero) y en la condimentación, con la salsa *harissa* (muy picante).

La gran variedad de tajines (carnes estofadas preparadas en cazuelas llamadas con ese nombre), las frutas y los condimentos (como el pimentón, el azafrán o el azúcar) dan lugar a toda una preparación de platos cuyo colofón es el famoso té verde, verdadero punto y final digestivo para una comida.

Fundamentos
de la dieta mediterránea

La palabra *dieta* se emplea en nuestros días de forma impropia, sin hacer justicia a su etimología u origen.

Hoy en día, se le llama *dieta* a un régimen alimenticio recomendado para combatir determinadas patologías o disfunciones orgánicas.

Sin embargo, si se examina la etimología del término, se observa que en griego significaba «modo de vivir», y se identificaba con una disciplina alimentaria correcta que armonizaba el cuerpo con una vida sana.

En estos últimos tiempos se pretende recuperar el significado originario del término, aplicándolo a los hábitos gastronómicos de los antiguos pueblos del Mediterráneo, toda vez que estudios médicos y dietéticos sostienen que los alimentos que configuran esta dieta (frutas, verduras, aceite de oliva, pescado, vino…) reducen el riesgo de padecer episodios coronarios agudos, además de prevenir enfermedades como la arteriosclerosis y algunos tipos de cáncer.

Dichos estudios han demostrado que, desde la década de los sesenta, las regiones mediterráneas cuentan con los índices mundiales más bajos de enfermedades crónicas, ya que conservan tradiciones alimentarias, en algunos casos centenarias,

que contribuyen a mantener un excelente equilibrio vital.

Esta tradición tiene una serie de componentes nutricionales básicos, cuyo consumo resulta imprescindible para conservar un estado de salud bueno.

¿En qué consiste una dieta sana y equilibrada? Básicamente en una serie de principios como son:

• Consumir con frecuencia alimentos de origen vegetal: frutas, verduras, pan, cereales, legumbres, patatas…

• Utilizar el aceite de oliva como grasa principal.

• Consumir alimentos de temporada, lo más frescos posible.

• Ingerir a diario una cantidad moderada de leche, queso o yogur.

• Tomar pescado, huevos y aves en cantidad moderada.

• Consumir carnes rojas de forma ocasional.

• Beber vino con moderación durante las comidas.

Alimentos integrantes de la dieta mediterránea

• Realizar una actividad física regular para favorecer el equilibro corporal y procurar un buen estado físico.

Estos principios coinciden con las costumbres alimentarias de los países mediterráneos y constituyen, por tanto, el fundamento esencial de la dieta mediterránea, la cual puede plasmarse en el gráfico que aparece en la parte superior de la página presente:

En el siguiente capítulo pasaremos a analizar con mucho más detalle los principales alimentos que integran la dieta mediterránea.

Alimentos integrantes de la dieta mediterránea, fuente de salud

El aceite de oliva

El aceite de oliva no sólo es considerado como una de las armas más importantes en la lucha contra el colesterol, sino que además proporciona al organismo una mayor defensa contra las enfermedades cardiovasculares y contra algunos tipos de cáncer.

Su consumo diario reduce el colesterol de baja densidad, potenciando el nivel de colesterol de alta densidad (HDL) debido a su contenido en ácido oleico, que junto a los polifenoles, presentes también, reducen el riesgo de padecer arteriosclerosis.

No son estas las únicas ventajas de este ingrediente fundamental de la dieta mediterránea. A pesar de contener pocos ácidos grasos poliinsaturados, tiene la suficiente cantidad para cubrir las necesidades diarias mínimas (unos 10 g). Además, es más resistente a la oxidación —saturación de ácidos grasos— cuando se calienta que los aceites de tipo vegetal, y así se puede comprobar que soporta sin grandes cambios los 200 °C.

ACEITE DE OLIVA (100 g)	
Calorías	884
Proteínas	-
Glúcidos	-
Lípidos	100 g
Colesterol	-
Vitamina A	120 mcg

Los frutos secos

El ácido oleico, que tantas ventajas reporta al organismo humano y en especial a su sistema circulatorio, no sólo está presente en el aceite de oliva, sino que también puede hallarse en otros productos, de consumo habitual en el Mediterráneo, como los frutos secos.

Las almendras, las avellanas, los pistachos, etc., tan presentes en la dieta de los países mediterráneos, consumidos como postres o como ingredientes de salsas y platos típicos, tienen la particularidad de que prácticamente la mitad de su peso es ácido oleico, lo que los convierte en una fuente de energía esencial y beneficiosa para el organismo.

FRUTOS SECOS (100 g)				
	CALORÍAS	GLÚCIDOS (g)	LÍPIDOS (g)	PROTEÍNAS (g)
Almendra	542	4	51,5	16
Avellana	625	1,8	62,9	13
Cacahuete	597	8,5	50	29
Castaña seca	349	80,9	3	4,7
Dátil	253	63,1	0,6	2,7
Higo seco	288	66,6	2,7	3,5
Nuez	660	6,3	63,7	15,8
Piñón	567	5	47,8	29,6
Uva pasa	283	72	0,6	1,9

Las verduras, las frutas y las legumbres

La ingesta abundante de frutas, verduras y legumbres frescas garantiza el aporte de vitaminas antioxidantes (vitaminas C y E), muy beneficiosas para combatir las enfermedades cardiovasculares. El aporte de fibra también es considerable.

Todas ellas tienen un escaso valor proteico y energético, y poseen en cambio un gran valor nutritivo, debido al alto porcentaje de minerales y vitaminas que contienen.

Mención especial merecen el ajo y la cebolla, por ser, junto con el tomate y el perejil, la base constituyente de gran número de platos de la dieta mediterránea, sin olvidar las plantas aromáticas como el laurel, el romero, el tomillo, la menta, la albahaca, el estragón, el mirto o la melisa.

Las legumbres son ricas en proteínas y carbohidratos de absorción lenta, con lo que tienen un gran poder saciante y calórico. Por otra parte, son pobres en grasas y en sodio, y no contienen colesterol.

De las frutas, hay que destacar su gran variedad, así como la gran cantidad de vitaminas que contienen, lo cual las hace el complemento ideal de cualquier tipo de alimentación.

VERDURA (100 g)				
	CALORÍAS	GLÚCIDOS (g)	LÍPIDOS (g)	PROTEÍNAS (g)
Acelga	17	2,8	0,1	1,3
Ajo	41	8,4	0,6	0,9
Alcachofa	22	2,5	0,2	2,7
Apio	20	2,4	0,2	2,3
Berenjena	15	2,6	0,1	1,1
Berza	24	2	0,3	3,4
Brécol	22	2	0,3	2,9
Calabaza	18	3,5	0,1	1,3
Calabacín	11	1,4	0,1	1,3

(Continúa)

VERDURA (100 g) (cont.)				
	CALORÍAS	GLÚCIDOS (g)	LÍPIDOS (g)	PROTEÍNAS (g)
Cardo	10	1,7	0,1	0,6
Cebolla	26	5,7	0,1	1
Champiñón	22	-	0,7	3,9
Coliflor	25	2,7	0,2	3,2
Endibia	10	0,7	0,2	1,4
Endibia roja	13	1,6	0,1	1,4
Espárrago	35	4	0,2	1,8
Espinaca	31	3	0,7	3,4
Flor de calabaza	12	0,5	0,4	1,7
Hinojo	9	1	-	1,2
Hoja de nabo	22	2,8	0,1	2,6
Lechuga	19	2,2	0,4	1,8
Patata	85	18	1	2,1
Pepino	14	1,8	0,5	0,7
Perejil	20	-	0,6	3,7
Pimiento	22	4,2	0,3	0,9
Puerro	29	5,2	0,1	2,1
Rábano	11	1,8	0,1	0,8
Remolacha	20	4	-	1,1
Tomate	17	2,8	20	1,2
Zanahoria	33	7,6	-	1,1

LEGUMBRES (100 g)				
	CALORÍAS	GLÚCIDOS (g)	LÍPIDOS (g)	PROTEÍNAS (g)
Garbanzos	334	21,8	54,3	4,9
Guisantes	76	7	12,4	0,2
Habas	37	5,4	2,4	4,9
Judías	106	6,4	12,4	0,6
Lentejas	325	25	54	2,5

FRUTA (100 g)				
	CALORÍAS	GLÚCIDOS (g)	LÍPIDOS (g)	PROTEÍNAS (g)
Albaricoque	28	6,8	0,1	0,4
Arándano	41	10,1	0,4	0,6
Caqui	65	16	0,3	0,6
Castaña	189	42,4	1,8	3,5
Cereza	38	9	0,1	0,8
Ciruela	42	10,5	0,1	0,5

(Continúa)

FRUTA (100 g) (cont.)				
	CALORÍAS	GLÚCIDOS (g)	LÍPIDOS (g)	PROTEÍNAS (g)
Frambuesa	34	6,5	0,6	1
Fresa	27	5,3	0,4	0,9
Granada	63	15,9	0,2	0,5
Higo	47	11,2	0,2	0,9
Higo chumbo	53	13	0,1	0,8
Kiwi	48	11,2	0,2	0,4
Limón	11	2,3	-	0,6
Mandarina	72	17,6	0,3	0,9
Mango	58	12,8	0,6	0,45
Manzana	45	11	0,3	0,2
Melocotón	27	6,1	0,1	0,8
Melón	33	7,4	0,2	0,8
Membrillo	34	6,3	1	0,3
Naranja	34	7,8	0,2	0,7
Níspero	28	6,1	0,4	0,4
Papaya	12	2,4	0,52	0,09
Pera	41	9,5	0,4	0,3
Piña	40	10	-	0,8
Plátano	66	15,5	0,3	1,2
Pomelo	26	6,2	-	0,6
Sandía	15	3,7	-	0,4
Uva	61	15,6	0,1	0,5

El pan, la pasta y el arroz

El pan es considerado como el alimento más consumido en el mundo entero. Se compone de un 50 % de hidratos de carbono, un 10 % de proteínas y un 2 % de grasas; el resto es agua. El pan es un alimento rico en féculas, pero desde el punto de vista proteico se podría vivir una larga temporada alimentándose sólo de pan.

La pasta tiene como función aportar al organismo energía rápida, debido al alto contenido de glúcidos que suministra. También contiene aminoácidos, hierro, calcio y fósforo.

La pasta, al igual que el arroz y las patatas, es un producto nutritivo y barato, de uso casi universal, capaz de adaptarse a multitud de preparaciones. Su único secreto es el punto de cocción.

El consumo de arroz se ha extendido con gran rapidez por todos los países mediterráneos, al tratarse de un ingrediente fácil de elaborar y combinar. Es originario de China, donde se consumía como alimento básico en su forma integral, es decir, con cáscara (la cáscara del arroz contiene vitamina B_1). Después pasó a la India, Egipto, Grecia y, desde allí, a todos los países costeros del Mediterráneo.

Su valor nutritivo no es muy alto; no obstante, presenta muchas ventajas y, sobre todo, resulta muy agradable al paladar por su delicioso sabor, que se adapta a las más variadas combinaciones culinarias.

Con él se confeccionan primeros platos —tanto caldosos como semicaldosos o secos—, ensaladas, sopas o cremas, postres y dulces, y también guarniciones que sirven para acompañar carnes, pescados y huevos.

PAN (100 g)	
Calorías	267
Proteínas	8-10 g
Glúcidos	64 g
Lípidos	-
Colesterol	-
Sodio	665 mg
Potasio	132 mg
Calcio	13 mg
Fósforo	77 mg

PASTA (100 g)		
Calorías	3 5 6	
Proteínas	10	g
Glúcidos	80	g
Lípidos	300	mg
Colesterol	-	
Sodio	5	mg
Potasio	160	mg
Calcio	17	mg
Fósforo	165	mg
Vitamina PP	2	mg

	ARROZ BLANCO (100 g)	ARROZ INTEGRAL (100 g)
Calorías	362	360
Glúcidos	87,6 g	77,4 g
Lípidos	0,6 g	1,90 g
Proteínas	7 g	7,5 g

El pescado

Se encuentra entre los alimentos proteicos o plásticos —junto con la carne y los huevos—, es decir, los que el organismo utiliza para formar sus tejidos.

El valor energético depende de las grasas que contenga, y precisamente son estas las que dan lugar a la clasificación de los pescados en azules o magros. Los del primer grupo contienen más de un 6 % de grasa, y entre ellos se encuentran el arenque, la caballa, la sardina, el salmón, etc. Los del segundo grupo contienen entre un 2,5 y un 6 % de grasa, y las especies más conocidas son: el bonito, el boquerón, el besugo, la lubina, el congrio, el salmonete, la carpa... Por último, hay un tercer grupo en el cual la proporción de grasa no alcanza el 2,5 %, y en él se encuentran el bacalao, el mero, el rape, la merluza, la pescadilla, el lenguado, el lucio, la trucha, el atún (contrariamente a lo que se cree), etcétera.

El consumo abundante de pescado y marisco es otra de las características significativas de la dieta mediterránea. Se trata de una importante fuente de proteínas, con un elevado contenido de aminoácidos esenciales.

PESCADO (100 g)				
	CALORÍAS	GLÚCIDOS (g)	LÍPIDOS (g)	PROTEÍNAS (g)
Almeja	72	2,2	2,5	10,2
Anguila	237	0,7	19,6	14,6
Boquerón	96	1,5	2,6	16,8
Caballa	168	-	11,1	17
Calamar	68	0,6	1,7	12,6
Carpa	140	-	7,1	18,9

(Continúa)

PESCADO (100 g) (cont.)				
	CALORÍAS	GLÚCIDOS (g)	LÍPIDOS (g)	PROTEÍNAS (g)
Dentón	101	0,7	3,5	16,7
Gamba	71	2,9	0,6	13,6
Langosta	86	1	1,9	19,6
Lenguado	86	0,6	1,5	16,9
Lubina	82	0,6	1,5	16,5
Mejillón	84	3,4	2,7	11,7
Merluza	71	-	0,3	17
Mújol	127	0,7	6,8	15,8
Ostra	69	5,4	0,9	10,2
Palometa	80	1,3	1,2	16
Pulpo	57	1,4	1	10,6
Raya	68	0,7	0,9	14,2
Rodaballo	81	0,7	0,9	14,2
Salmonete	123	1,1	6,2	15,8
Sardina	129	1,5	4,5	20,8
Sepia	72	0,7	1,5	14

Las carnes, las aves y los huevos

La carne es una de las fuentes de proteínas más importantes para el ser humano, junto con los pescados, los huevos y la leche.

Estas proteínas de origen animal —las hay también de origen vegetal, pero no son tan completas— poseen un gran valor biológico, porque contienen todos los aminoácidos esenciales.

En el total de calorías de una dieta equilibrada, el 15 % deben provenir de alimentos proteicos, lo que supone para el adulto unos setenta gramos.

Las carnes contienen, además, otros elementos, que varían según el animal del que procedan, y que les dan a cada una de ellas sus especiales características y un valor nutritivo diferente.

Es importante señalar que todas las partes (exceptuando las vísceras) de un mismo animal tienen idéntico valor nutritivo si se comen en la misma cantidad. Por tanto, la clasificación de las carnes —de 1.ª, 2.ª o 3.ª clase— obedece tan sólo a razones de presentación, consistencia o sabor, pero nunca depende de su valor nutritivo.

Las ventajas de las aves son variadas. Por una parte, ofrecen una carne blanca y con poca grasa, que contiene además muchas proteínas. La carne de mayor consumo es la de pollo, seguida de la de pavo y pato. En la actualidad una gran cantidad de especies —codornices, perdices…— van perdiendo su condición de caza, pasando a convertirse en aves domésticas, criadas en granjas y, por tanto, al alcance de todo el mundo. Sin embargo, la diferencia de sabor y textura existente entre el animal criado en cautividad y el ejemplar salvaje es enorme.

Por otra parte, el huevo es uno de los alimentos más populares en cualquier país del mundo. La razón es sencilla: se trata de un producto económico, de fácil producción, rentable, muy nutritivo y que además ofrece cientos de maneras de preparación.

Lo cierto es que todos los principios nutritivos necesarios para el mantenimiento de la vida y el desarrollo del organismo se encuentran en el huevo, y por eso es importante incluirlo en una dieta bien organizada.

ANIMAL (100 g)				
	CALORÍAS	GLÚCIDOS (g)	LÍPIDOS (g)	PROTEÍNAS (g)
Añojo	113	-	3,1	21,3
Cabrito	122	-	5	19,2
Capón	226	-	17,7	16,7
Cerdo (magro)	141	-	6,8	19,9
Conejo	102	0,6	0,6	23,7
Cordero	101	0,3	2,2	20
Faisán	144	-	5,2	24,3
Gallina	195	0,2	12,3	20,9
Pato	159	-	8,2	21,4
Pavo	134	0,4	4,9	22
Pichón	138	-	5,5	22,1
Pintada	107	-	0,7	25,1
Pollo	175	-	11	19,1
Ternera	92	0,1	1	20,7
Vaca	129	-	15,4	18,8

Los productos lácteos

La leche es uno de los alimentos más consumidos en todo el mundo, y las dificultades para conservarla en el pasado llevaron a transformarla en otros productos como la mantequilla, el queso o el yogur.

Los componentes básicos de la leche son: agua, lípidos o materias grasas, prótidos, glúcidos y sales minerales.

Entre los productos lácteos más comunes destacan el yogur, la mantequilla y los quesos.

La mantequilla tiene más del 80 % de materia grasa, y contiene calcio y vitamina A. Es de fácil digestión en crudo, por lo que está recomendada en dietas de protec-

ción digestiva. Por su composición se deteriora con cierta facilidad, por lo que conviene conservarla en un recipiente cerrado en el frigorífico.

Los quesos se fabrican a partir de la leche, de su crema, de leche descremada o de distintas mezclas, según el tipo.

El yogur se ha convertido por derecho propio en uno de los productos más consumidos a cualquier hora del día. Se trata de una preparación a base de leche que ha sufrido una serie de transformaciones gracias al empleo de unos microorganismos que tienen la propiedad de cuajar las proteínas. Es uno de los productos más deliciosos, nutritivos y polivalentes de la dieta mediterránea.

LÁCTEO (100 g)				
	CALORÍAS	GLÚCIDOS (g)	LÍPIDOS (g)	PROTEÍNAS (g)
Camembert	312	4	24	20
Emmental	415	1,5	33	28
Gruyer	388	1,5	29	30,6
Leche de cabra	72	4,7	4,3	3,9
Leche de oveja	103	5,2	6,9	5,3
Leche de vaca	61	4,8	3,4	3,1
Manchego	376	0,5	28,7	29
Mozzarella	243	-	16	19,9
Parmesano	374	4,9	25,6	36
Queso de bola	349	2	25	29
Queso de oveja	366	-	366	28,5
Requesón	188	4	188	9,5
Roquefort	405	2	35	23
Yogur	63	3,6	3,9	3,5

El vino

Una de las grandes características de la alimentación mediterránea está en el consumo moderado y regular de vino durante las comidas.

Se trata de una costumbre generalizada y enraizada en la tradición de los pueblos mediterráneos.

Desde hace años, numerosos estudios han puesto en evidencia una relación directa entre el consumo moderado de vino y el descenso en la mortalidad por enfermedades cardiovasculares.

Algunos investigadores han asociado esta protección cardiovascular no sólo con el alcohol, sino también con el porcentaje de componentes polifenólicos del vino. Dichos elementos mejoran el perfil lipídico del organismo y además aportan una protección suplementaria a la vitamina E plasmática.

También hay que recordar que el vino contiene hierro y es de fácil absorción.

En resumen, es evidente que, tomado con moderación, resulta digestivo y saludable para el organismo. Por eso y por tradición se ha convertido en uno de los elementos clave de la dieta mediterránea.

En definitiva, no hay que olvidar que la dieta mediterránea es el símbolo de un estilo de vida. Es un concepto que va más allá del uso de determinados ingredientes o recetas y que encuentra su verdadero sentido en la comunión que se establece entre el clima, la geografía, las costumbres y las formas de vida de los distintos pueblos mediterráneos.

Recetario

Este recetario es el resultado de una amplia selección de platos que combina el buen sabor de los ingredientes escogidos con los mejores condimentos. De ahí que aparezcan indicados con un asterisco algunos consejos complementarios muy adecuados para mejorar la calidad de las comidas.

Leyenda

La estructura de cada una de las recetas responde a un afán por ordenar con claridad la información que se desea transmitir, de ahí que se representen con iconos los siguientes aspectos:

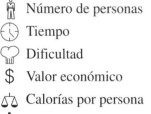 Número de personas

Tiempo

Dificultad

Valor económico

Calorías por persona

Vino recomendado (denominación de origen)

Entrantes

Entremeses

Sopas y caldos

Cremas y purés

Entremeses

Los entremeses son aquellos platos que sirven para comenzar una comida, y por ello deben cumplir unas características formales determinadas.

Por una parte, al ser un plato cuya función es la de abrir el apetito, deben ser ligeros, apetitosos y sabrosos. Por otra parte, deben preparar al estómago para recibir los distintos alimentos que vendrán a continuación, por lo que es fundamental que se sirvan en pequeñas raciones.

Por último, hay que especificar que, con un poco de imaginación, se pueden crear nuevos entremeses mezclando entre sí las distintas recetas propuestas.

Brocheta marsellesa

👤	**4 personas**
🕐	**20 minutos**
👨‍🍳	**Muy fácil**
$	**Medio**
⚖️	**130 calorías**
🍾	**Campo de Borja**

50 g de panceta ahumada
2 tomates verdes
6 filetes de anchoas
12 gambas
6 aceitunas rellenas
1 rodaja de piña natural
Hojas de escarola
Aceite de oliva

1 El plato se inicia dorando la panceta —previamente cortada en tacos— en una sartén con un poquito de aceite, evitando que quede demasiado grasa.

2 Se cortan los tomates en trozos cuadrados y se hace lo mismo con la piña.

3 Se pelan las gambas y se reservan.

4 Se lava bien la escarola y se deja reposar en agua para que coja consistencia.

5 Se preparan las brochetas, colocando los ingredientes en el siguiente orden: panceta, tomate, panceta, piña, gamba, anchoa y aceituna; se corona con una hojita de escarola.

Canapés mediterráneos variados

👤	**4 personas**
🕐	**20 minutos**
👨‍🍳	**Muy fácil**
$	**Económico**
⚖️	**80-120 calorías**
🍾	**Binissalem**

Pan de molde
Mantequilla
Espárragos, alcaparras, caviar, jamón,
* melón, sardinas, etc. (según cada receta)*

1 *Marsellés*. Sobre el pan con mantequilla, se coloca un par de puntas de espárragos y un par de alcaparras.

2 *Turco*. Sobre el pan con mantequilla, se extiende una cucharada de caviar y justo antes de servir se aliña con unas gotas de limón.

3 *Levantino*. Sobre el pan con mantequilla se dispone media loncha fina de jamón serrano y encima se decora con un trozo de melón.

4 *Siciliano*. Se unta el pan con una mezcla realizada con mantequilla y sardinas de lata. Se adorna con medio pepinillo.

5 *Egipcio*. Sobre el pan con mantequilla se coloca una loncha de queso cremoso y se corona con un orejón (albaricoque seco).

6 *Gaditano*. Sobre el pan con mantequilla se pone un trozo de piña y encima media nuez.

7 *Tunecino.* Sobre el pan con mantequilla se dispone media loncha de jamón de York y se corona con una ciruela deshuesada o medio dátil (al gusto).

8 *Napolitano.* Sobre el pan con mantequilla se coloca una rodaja de huevo duro y por encima media aceituna negra y un par de alcaparras, una a cada lado.

9 *Sirio.* Sobre el pan con mantequilla se coloca una loncha de queso cremoso y se corona con un trozo de guindilla en vinagre.

10 *Libanés.* Sobre el pan con mantequilla se dispone una rodaja de tomate y dos anchoas. Se espolvorea con perejil picado.

* Tomaremos siempre como base media rebanada de pan de molde, cortada en diagonal y untada con un poco de mantequilla, que se puede tostar o no según el gusto de cada uno.

Canapés de salmón ahumado

👤	**4 personas**
🕐	**15 minutos**
🍳	**Muy fácil**
$	**Medio**
⚖	**150 calorías**
🍶	**Rías Baixas**

4 rebanadas de pan de molde
50 g de salmón ahumado
2 huevos
Aceite de oliva
4 pepinillos en vinagre
Sal

1 Para comenzar, se calienta el aceite en una sartén y se preparan unos huevos revueltos que no cuajen del todo, que queden jugosos. Se salan.

2 A continuación, se tuestan las rebanadas de pan de molde.

3 Una vez listas, se extiende sobre ellas una fina capa de huevo y encima se coloca el salmón ahumado.

4 Finalmente, se cortan las rebanadas en diagonal y se decoran con medio pepinillo.

Cóctel de gambas

☖	**4 personas**
⏱	**15 minutos**
♔	**Muy fácil**
$	**Medio**
⚖	**110 calorías**
⏺	**Ribeiro**

400 g de gambas sin piel, cocidas
1 lechuga
1 cucharada de salsa de tomate
2 ajos
Perejil
2 dl de coñac
Aceite de oliva
Sal y pimienta

1 Para comenzar, se limpia bien la lechuga y se escogen las hojas más blancas; se escurre y se corta en trozos pequeños.

2 Se pican en el mortero los ajos y el perejil, y se doran en un poco de aceite junto con la salsa de tomate. Una vez dorados, se añade el coñac y se deja que hierva durante unos 7 minutos, para que se evapore el alcohol.

3 Para finalizar, se dispone la lechuga cortada en copas de cristal, se colocan encima las gambas, se rocía con la salsa que se ha preparado y se salpimienta.

Cóctel mediterráneo

☖	**4 personas**
⏱	**25 minutos**
♔	**Muy fácil**
$	**Medio**
⚖	**100 calorías**
⏺	**Manzanilla**

2 aguacates
1 lechuga
1 lata de atún en aceite
2 dl de mayonesa
1 limón
Unas hojas de menta fresca
Pimienta

1 Se cortan longitudinalmente los aguacates y se extrae el hueso; se les quita la piel. A continuación, se corta la pulpa en trocitos pequeños y se mezcla con el atún picado y con la mayonesa.

2 Aparte, se lava bien la lechuga y se deja en remojo durante unos 15 minutos para que coja consistencia. Seguidamente, se corta en juliana.

3 Se llenan cuatro copas de cóctel con esta mezcla que hemos preparado, colocando la lechuga alrededor, formando un círculo.

4 Se añade un toque de pimienta y se adorna con una fina rodaja de limón, que se coloca en uno de los laterales, y con un par de hojas frescas de menta en el centro. Se sirve el cóctel muy frío.

Entremeses griegos

👤	**4 personas**
🕐	**15 minutos**
👨‍🍳	**Fácil**
$	**Medio**
⚖️	**80 calorías**
🍾	**Terra Alta**

400 g de yogur
1 pepino
1/2 cebolla
2 dientes de ajo
Albahaca
Perejil picado
Menta fresca
Pan del día anterior
Sal
Pimienta molida

1 En primer lugar, se pica muy finamente la cebolla, el ajo y las hierbas aromáticas. Se sazonan.

2 Seguidamente se lava el pepino y se corta en juliana.

3 En una copa de aperitivo o cóctel, se vierte una parte de yogur (unos 100 gramos aproximadamente por persona), y se le incorporan los ingredientes anteriores. Se remueve bien y se enfría en la nevera antes de servir.

4 El plato se acompañará con unos picatostes de pan frito y con un ligero toque de pimienta.

Melón al oporto

👤	**4 personas**
🕐	**10 min y 2 h de reposo**
👨‍🍳	**Muy fácil**
$	**Medio**
⚖️	**70 calorías**
🍾	**Penedès**

2 melones amarillos
Oporto

1 Se parten los melones por la mitad.

2 Se limpian bien de pepitas.

3 En el hueco central, se vierte oporto hasta cubrir.

4 Finalmente, se deja reposar como mínimo un par de horas en la nevera antes de servir.

* Se trata de un entrante muy apetitoso y sencillo de preparar.

En caso de no encontrar este tipo de melón, puede utilizarse sin ningún problema el de la variedad piel de sapo, adecuando siempre las medidas.

Mini croquetas de pollo

🧍	**4 personas**
🕐	**50 minutos**
👨‍🍳	**Fácil**
$	**Económico**
⚖️	**130 calorías**
🍾	**Cariñena**

250 g de sobras de pollo
1 cebolla grande
1/4 l de leche
100 g de harina
Nuez moscada
1 huevo
Pan rallado
Aceite de oliva
Sal

1 Para comenzar, se pican las sobras de pollo en la picadora o con unas tijeras (si se quieren encontrar tropezones).

2 Seguidamente, se pica la cebolla muy fina y se sofríe en una sartén con aceite caliente hasta que esté dorada, momento en el que se agrega el pollo.

3 Se añade la leche y se sazona con sal y un poco de nuez moscada rallada; se incorpora la harina poco a poco, sin dejar de remover con una cuchara de palo para que no se formen grumos, hasta que la masa quede suelta, es decir, que no se pegue en la sartén. Se deja enfriar, preferiblemente de un día para otro, con el fin de que sea más manejable a la hora de formar las croquetas.

4 Se toman porciones de masa con una cuchara pequeña, para que el tamaño de las croquetas sea uniforme; se les da for-

ma cilíndrica y se pasan por el huevo batido y el pan rallado.

5 Por último, se fríen en una sartén con abundante aceite bien caliente y se sirven.

* Puede añadirse, junto con la leche, una pastilla de caldo de pollo concentrado y unos trocitos de jamón para darles más sabor a las croquetas.

Pinchitos de mejillones

🧍	**4 personas**
🕐	**25 minutos**
👨‍🍳	**Muy fácil**
$	**Económico**
⚖️	**110 calorías**
🍾	**Valdeorras**

1 kg de mejillones frescos
1 dl de vino blanco seco
Perejil
1 hoja de laurel
Pimienta en grano
1 huevo
Pan rallado
100 g de panceta ahumada en lonchas muy
  finas
Aceite de oliva
Sal

1 En primer lugar, se lavan bien los mejillones y se colocan en una sartén junto con el vino, el perejil, el laurel, unos granos de pimienta y la sal. Se tapa y se coloca a fuego vivo durante unos minutos (4 o 5), hasta que los mejillones se abran.

2 Una vez abiertos, se sacan de su valva y se dejan escurrir.

3 Cuando estén bien escurridos, se pasan por el huevo y el pan rallado y se ensartan en los pinchos; a continuación, se envuelve cada pincho en una loncha de panceta.

4 Tras esta operación se colocan los pinchos en una fuente, se rocían con un poco de aceite de oliva y se meten en el horno precalentado a una temperatura de aproximadamente 240° durante unos 4 minutos, hasta que la panceta esté transparente. Se sirve muy caliente.

Rollitos con sorpresa

👤	**4 personas**
🕐	**25 minutos**
🎩	**Muy fácil**
$	**Medio**
⚖️	**90 calorías**
🍾	**Valdepeñas**

8 lonchas de jamón serrano
100 g de queso fresco
4 rodajas de piña
1 lechuga
1 limón
Perejil
Pimienta
Sal

1 Se corta el queso fresco y la piña en trozos pequeños. Una vez mezclados, se les añade un par de cucharadas de zumo de limón y se salpimienta.

2 Seguidamente, se extienden las lonchas de jamón, se coloca en el centro la mezcla que se ha preparado y se enrollan.

3 En una fuente, se coloca un lecho de hojas de lechuga ligeramente aliñadas y, encima, los rollitos; se cubre por completo con más lechuga, pero esta vez cortada en juliana. Se espolvorea con perejil y se sirve frío.

Tapenade

👤	**4 personas**
🕐	**30 minutos**
🎩	**Fácil**
$	**Medio**
⚖️	**80 calorías**
🍾	**Cigales**

250 g de aceitunas negras
50 g de alcaparras
100 g de anchoas en aceite de oliva
Aceite de oliva
Rebanadas de pan tostado

1 Primeramente se han de deshuesar las aceitunas. Es preferible utilizar aceitunas negras, por su textura.

2 Una vez deshuesadas, se colocan en un mortero junto con las alcaparras y las anchoas; se maja todo bien hasta obtener una pasta. Se añaden dos cucharadas de aceite y se sigue mezclando para que quede la pasta homogénea.

3 Por último, se untan las rebanadas con la pasta obtenida y se sirven.

Sopas y caldos

No hay nada tan tonificante y apetitoso en los días fríos de invierno como una buena sopa o un caldo para comenzar una comida. Las razones son diversas, pero, desde el punto de vista fisiológico, queda demostrado que una sopa o un consomé colaboran en el proceso digestivo, estimulando las glándulas del estómago para que segreguen los jugos gástricos necesarios para iniciar la digestión de los alimentos sólidos que se ingerirán a continuación.

Los caldos y sopas, al estar desengrasados, pierden calorías; sin embargo, esto queda compensado con la incorporación de los elementos de acompañamiento: pasta, tropezones de pan o jamón, etc.

Por otra parte, además de ser un sabroso entrante, las sopas también pueden constituir un delicioso primer plato.

Caldo umbro

👤	**4 personas**
🕐	**100 minutos**
🖤	**Media**
$	**Medio**
⚖	**160 calorías**
🍾	**Conca de Barberà**

200 g de carne de ternera
250 g de pollo
1 hueso de rodilla de ternera
1 hueso de jamón
4 huevos
2 zanahorias
3 puerros
1 apio
1/2 cebolla
Queso parmesano rallado
1 clavo de especia
Sal

1   Se lavan los huesos y se colocan, junto con la carne, el pollo y la media cebolla con el clavo, en una olla con 2 l de agua y sal.

2   Cuando comience a hervir, se espuma y se incorporan las verduras, limpias y cortadas. Cada 5 o 10 minutos se espuma el caldo con la finalidad de que quede claro. Se deja unos 60 minutos, a fuego lento.

3   Transcurrido este tiempo, se cuela y se coloca de nuevo en el fuego para que no se enfríe.

4   En un bol se baten los huevos, se sazona, se agregan cuatro cucharadas de parmesano y se vierte todo sobre el caldo, removiendo suavemente hasta que el huevo cuaje. Se sirve caliente.

Gazpacho andaluz

👤	**4 personas**
🕐	**15 minutos**
🖤	**Muy fácil**
$	**Económico**
⚖	**140 calorías**
🍾	**Utiel-Requena**

200 g de pan del día anterior
400 g de tomates
1 diente de ajo
1 pimiento verde
1 pepino pequeño
1 cebolla
Vinagre
Aceite de oliva
Sal
Pimienta

1   Se coloca en un mortero el ajo, el pan (previamente remojado) y los tomates troceados y con piel. Se machaca todo bien y se le añade una cucharada de vinagre y cinco de aceite, además de sal.

2   A continuación, se pasa por un pasapurés bien fino y se añade un litro de agua muy fría; se guarda en la nevera.

3   Finalmente, se cortan en cubitos el pimiento, el pepino y la cebolla, que se incorporarán como tropezones.

4   Se sirve muy frío acompañado de las verduras presentadas en recipientes individuales, para que cada comensal se sirva al gusto.

Sopa de ajo

👤	**4 personas**
🕐	**40 minutos**
👨‍🍳	**Muy fácil**
$	**Económico**
⚖	**90 calorías**
🍾	**Priorato**

1 barra de pan de 1/4, del día anterior
2 dientes de ajo
1 pimiento verde
Pimentón
1 l y 1/2 de agua o caldo
Aceite de oliva
Sal

1 Para empezar, se corta el pan en reba-nadas finas, los ajos en láminas y los pimientos en tiras.

2 Seguidamente, en una sartén con el aceite bien caliente, se dora el ajo y se añaden las tiras de pimientos, rehogándo-los unos diez minutos hasta que se ablan-den; se retira la sartén del fuego y se aña-de el pimentón.

3 Se fríe el pan, sin dejar de remover. Una vez frito, se pone en una cazuela de barro, junto con los ajos y los pimientos, y se riega con el agua o el caldo hirviendo.

4 Se introduce la cazuela tapada en el horno precalentado a 220 °C durante unos 10 minutos; transcurrido este tiempo, ya está la sopa lista para servir.

Sopa de cebolla

👤	**4 personas**
🕐	**40 minutos**
👨‍🍳	**Fácil**
$	**Económico**
⚖	**120 calorías**
🍾	**Penedès**

300 g de cebollas blancas
150 g de queso parmesano rallado
50 g de mantequilla
30 g de harina
2 l de caldo de verdura
Pan del día anterior
Nuez moscada
Sal

1 Se pelan las cebollas y se cortan en rodajas finas.

2 Se calienta la mantequilla en una cazuela, se incorporan las cebollas, se espolvorea la harina y se deja al fuego hasta que se dore. Se añade una pizca de nuez moscada.

3 Seguidamente, se añade el caldo y se cuece todo durante unos 20 minutos.

4 Se rectifica la sal y se vierte en una sopera, incorporando los picatostes de pan, previamente dorados en una sartén, y el queso espolvoreado por encima. Se gra-tina y se sirve caliente.

* Una de las variedades puede consistir en cambiar el queso parmesano por un gruyè-re suizo o un emmental francés, que fun-den mejor.

Sopa de champiñones

👤	**4 personas**
🕐	**40 minutos**
🍳	**Muy fácil**
$	**Económico**
⚖️	**110 calorías**
🍾	**Ribeiro**

250 g de champiñones
1 cebolla
25 g de harina de maíz
1 l de caldo
10 cl de crema de leche
Perejil
Aceite de oliva
Sal

1 Primeramente se pica bien la cebolla, se lavan los champiñones y se cortan en láminas finas.

2 A continuación, se reserva una taza de caldo frío y se pone a calentar el resto.

3 Se pone en una cazuela, a fuego lento, el aceite de oliva, y se rehoga en él la cebolla y los champiñones.

4 Seguidamente, se disuelve la harina de maíz en el caldo frío que se ha reservado y se vierte en la cazuela; se remueve bien y se añade el caldo caliente, dejando que hierva todo durante 10 minutos. Se sazona.

5 Transcurrido este tiempo, se retira del fuego, se incorpora la crema de leche, se mezcla y se espolvorea con el perejil picado.

Sopa de invierno

👤	**4 personas**
🕐	**45 minutos**
🍳	**Muy fácil**
$	**Económico**
⚖️	**115 calorías**
🍾	**Rueda**

3 dientes de ajo bien picados
1 l y 1/2 de agua o caldo
1 hueso de jamón
1/2 barra de pan del día anterior
200 g de jamón
200 g de chorizo
4 huevos
Pimentón dulce
Aceite de oliva
Sal

1 Se pone el agua o el caldo en una olla junto con el hueso de jamón, y se deja que cueza durante media hora.

2 Mientras tanto, en una cazuela de barro se dora el ajo en el aceite de oliva, a fuego moderado.

3 Seguidamente, se agrega el pan (cortado en rebanadas), el jamón y el chorizo, y se remueve todo bien. Cuando el pan esté dorado, se añade el pimentón, mezclando con rapidez. A continuación se incorpora el caldo. Se sazona.

4 Se deja cocer durante 5 minutos y se añaden los huevos uno a uno, formando un círculo.

5 Por último, se introduce la cazuela en el horno a unos 220° durante 3 minutos, y se sirve muy caliente.

Sopa al jerez

☖	**4 personas**
☘	**50 minutos**
♆	**Fácil**
$	**Económico**
⚖	**90 calorías**
♱	**Terra Alta**

1 l de caldo de carne
2 puerros
2 zanahorias
25 g de harina
50 g de mantequilla
1 copa de jerez
Perejil picado
Sal

1 Se pelan las zanahorias y los puerros, se lavan bien y se pican finamente. A continuación, se rehogan en una sartén junto con la mantequilla, y se les añade el perejil picado.

2 Pasados 5 minutos se agrega el caldo caliente y se deja que hierva durante unos 30 minutos.

3 Transcurrido este tiempo, se incorpora el jerez mezclado con la harina. Es importante remover muy bien la sopa, con el objetivo de evitar que se formen grumos. Se sazona.

4 Se deja hervir a fuego lento 5 minutos más. Se sirve caliente.

Sopa marinera ibicenca

☖	**4 personas**
☘	**60 minutos**
♆	**Difícil**
$	**Medio**
⚖	**130 calorías**
♱	**Somontano**

250 g de rape
1 dorada pequeña
300 g de salmonetes
1 sepia
250 g de gambas
300 g de mejillones
1 cebolla
2 dientes de ajo
1 puerro
2 cucharadas de tomate concentrado
Pimentón
Azafrán
Tomillo y perejil
Laurel
Limón
15 cl de coñac
Aceite de oliva
Sal

1 Se comienza limpiando el pescado, separando las cabezas y las espinas. A continuación, se pelan las gambas y se reservan también las cabezas.

2 En una cazuela se pone 1,5 l de agua, las cabezas y espinas, el limón exprimido, los mejillones limpios, laurel, media cebolla y la sal. Se hierve 20 minutos, se cuela y se reserva.

3 Seguidamente, se corta el pescado en trozos y se dora en una sartén. En el aceite sobrante, se fríen los ajos, el resto de la cebolla y el puerro, todo muy picado.

4 Cuando las verduras empiecen a tomar color, se incorpora el pimentón y el coñac. A continuación, se pone al fuego y se deja un rato para que se evapore el alcohol.

5 Llegados a este punto, se añade el caldo ya colado, las distintas hierbas, el tomate y el azafrán. Se deja hervir unos 15 minutos, se cuela la sopa, se sazona y se incorporan los pescados.

Sopa de pescadores

👤	**4 personas**
🕐	**60 minutos**
👨‍🍳	**Fácil**
$	**Medio**
⚖	**100 calorías**
🍶	**Rías Baixas**

200 g de gambas
250 g de rape
1 calamar
1 huevo
1 taza de arroz por persona
1 cucharada de vinagre
Sal
Aceite de oliva

1 Se inicia la preparación, colocando el rape, las gambas y el calamar, juntos, en una olla con un litro y medio de agua con sal. Se deja hervir durante 20 minutos, a fuego medio. Cuando el caldo esté listo, se cuela y se reserva. Se trocea el pescado.

2 En el caldo de pescado, se hierve el arroz durante unos 20 minutos.

3 En un recipiente aparte, con el huevo, el aceite, la sal y el vinagre se prepara una salsa mayonesa. Cuando esté lista, se le agrega un poco de caldo templado para hacerla más ligera y que luego no se corte.

4 Seguidamente, se incorpora el pescado al caldo con el arroz y se añade la salsa mayonesa por encima. Se sirve caliente.

Sopa de puerros

👤	**4 personas**
🕐	**80 minutos**
👨‍🍳	**Fácil**
$	**Económico**
⚖	**110 calorías**
🍶	**Chacolí de Guetaria**

1 kg de patatas
400 g de puerros
1 hueso de jamón
2 tiras de panceta ahumada
50 g de mantequilla
Pan del día anterior
Aceite de oliva
Sal
Pimienta

1 Se pone a hervir un litro y medio de agua, junto con las patatas peladas y cortadas en rodajas, los puerros bien lavados y troceados y el hueso de jamón. Se sala y se deja durante 1 hora.

2 Transcurrido este tiempo, se pasa por el pasapurés y se reserva. En una sartén con una cucharada de aceite de oliva se fríe la panceta y, en ese mismo aceite, se doran los picatostes de pan.

3 Se sirve la sopa con un ligero toque perfumado de pimienta y aparte, para que cada comensal se sirva a su gusto, los picatostes, los tropezones de panceta y la mantequilla cortada en pedacitos.

Sopa de rabo de buey

👤	**4 personas**
🕐	**110 minutos**
👒	**Difícil**
$	**Económico**
⚖	**110 calorías**
🍾	**Yecla**

500 g de rabo de buey
2 zanahorias
2 puerros
1 cebolla
1 diente de ajo
Perejil
Sal y pimienta
Aceite de oliva

1 En primer lugar, se trocea el rabo y se salpimienta.

2 A continuación, se pelan las verduras, se pican la cebolla y el ajo y se corta en dados pequeños la zanahoria; se trocea el puerro.

3 En una cazuela de barro con aceite caliente se dora primero el rabo y más tarde las verduras.

4 Cuando todo esté listo, se remueve bien y se cubre con agua caliente. Se tapa la cazuela y se deja que hierva durante una hora y media aproximadamente.

5 Pasado este tiempo, la sopa ya está lista. Tan sólo queda, antes de servir, rectificar la sal y espolvorear con perejil picado.

* Una de las modalidades de presentación consiste en retirar la carne, dejarla enfriar, deshuesarla, picarla y reincorporarla a la sopa.

Cremas y purés

Las cremas gozan de gran prestigio y aceptación, y no suelen faltar en la carta de cualquier buen restaurante. Hay dos maneras de prepararlas: suaves, como un puré, con las verduras, carnes o mariscos triturados, o bien con los ingredientes picados al final de la preparación.

La bechamel, que constituye la base de este plato, también se puede hacer de dos maneras: sólo con leche o, para intensificar el sabor de la crema, con una parte de leche y otra de caldo de cocer la carne o el marisco.

Las cremas deben servirse calientes o frías. Cuando se sirvan frías, deben estar frescas, pero jamás heladas, ya que el frío excesivo atenúa el sabor.

El puré es un derivado directo de la sopa y consiste en un caldo en el que se han triturado verduras, patatas o legumbres. El secreto principal de un buen puré es el triturado. Tanto si se realiza con pasapurés como si se prepara con batidora, es fundamental que quede sin grumos. Un truco para suavizar un puré consiste en añadirle un poco de mantequilla y leche.

Las *veloutés* entran en el grupo de los purés. En general se hacen con caldos de carne, pescado o marisco, y suelen ser muy concentradas, por lo que a veces se emplean féculas para ligarlas y se les añade una yema de huevo en el momento de servir.

Crema de calabaza

👤	**4 personas**
🕐	**45 minutos**
👨‍🍳	**Fácil**
$	**Económico**
⚖	**180 calorías**
🍶	**Jerez**

1 kg de calabaza
2 l de caldo suave
50 g de mantequilla
Sal

1 Se pela la calabaza, se trocea y se pone a cocer en el caldo unos cuarenta minutos, hasta que esté casi deshecha.

2 A continuación, se retira del fuego, se le añade la mantequilla, se sazona y se pasa por el pasapurés. Se sirve en tazas de consomé.

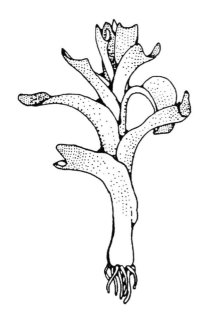

Crema corsa

👤	**4 personas**
🕐	**20 minutos**
👨‍🍳	**Fácil**
$	**Económico**
⚖	**140 calorías**
🍶	**Priorat**

400 g de gambas
2 tomates maduros
2 puerros
15 cl de coñac
25 cl de leche
40 g de harina
1 hoja de laurel
Albahaca fresca
Aceite de oliva
Sal

1 Se cuecen las gambas en agua hirviendo con sal. Se dejan unos 3 minutos y se retiran del fuego; seguidamente, se cuela el caldo y se reserva.

2 En una cazuela con aceite se doran los puerros, los tomates y el laurel. A continuación, se añade el coñac y, pasados unos minutos, se incorpora el caldo que se había reservado, la leche y la harina. Se remueve para evitar que se formen grumos. Se sazona y se deja que hierva.

3 Transcurridos unos minutos, se pasa por el pasapurés y se sirve caliente con las gambas y un toque de albahaca fresca picada por encima.

Crema dorada

👤	**4 personas**
🕐	**60 minutos**
👨‍🍳	**Difícil**
$	**Medio**
⚖️	**180 calorías**
🍾	**Cigales**

200 g de cigalas
100 g de gambas
200 g de tomates
100 g de cebollas
100 g de zanahorias
100 g de crema de arroz
1 dl de coñac
1 dl de vino blanco seco
Aceite de oliva
Sal

1 Se fríen en una sartén las cigalas y las gambas. Se retiran del fuego, se pelan (reservando cáscaras y cabezas) y, en el aceite restante, se doran las cebollas y las zanahorias (cortadas en dados).

2 Se añaden los tomates, también cortados en dados, así como una preparación que se hará en el mortero machacando las cáscaras de los crustáceos y el vino. Se tamiza.

3 Transcurridos unos minutos, se añade el coñac y se flambea hasta que la llama se apague; en este momento se incorpora un litro y medio de agua caliente. Se sazona.

4 Se deja que hierva durante 30 minutos; se cuela el caldo y se pone de nuevo al fuego. Cuando empiece la ebullición, se añade la crema de arroz diluida en agua, y se deja que hierva unos 10 minutos. Se incorporan las gambas y las cigalas peladas.

Crema de espinacas

👤	**4 personas**
🕐	**25 minutos**
👨‍🍳	**Muy fácil**
$	**Económico**
⚖️	**190 calorías**
🍾	**Ribera del Duero**

1 kg de espinacas
1 patata
1 cebolla
1/2 l de caldo
1 dl de crema de leche
Aceite de oliva
Sal y pimienta

1 Para empezar, se lavan bien las espinacas, se ponen en una olla con muy poca agua y se cuecen durante 5 minutos. Aparte, se cuece la patata pelada.

2 Cuando las espinacas estén bien cocidas, se escurren para quitarles el exceso de agua.

3 En una sartén con aceite de oliva, se sofríe la cebolla finamente cortada, se añaden las espinacas y se salpimienta.

4 A continuación, se tritura todo con la batidora eléctrica y se añade la crema de leche y el caldo (la cantidad de este variará según se desee la crema más espesa o líquida).

5 Por último, se calienta la crema y se sirve.

* Queda deliciosa si se le añaden unos picatostes de pan frito.

Crema griega

👤	4 personas
🕐	20 minutos
👨‍🍳	Fácil
$	Económico
⚖️	100 calorías
🍾	Navarra

2 aguacates
3 yogures naturales
1 rama de apio
1/2 l de caldo de pollo
1 limón
Menta fresca
Perejil
Sal

1 Se pelan los aguacates y se les quita el hueso central.

2 En una batidora, se colocan las mitades de aguacate, el apio limpio, los yogures, el caldo y el zumo de medio limón.

3 Se sazona y se baten bien estos ingredientes hasta obtener una crema fina.

4 Se deja reposar en el frigorífico.

5 Se sirve en copa de cóctel, espolvoreando perejil picado y decorando con una ramita de menta.

Crema libanesa

👤	4 personas
🕐	25 minutos
👨‍🍳	Fácil
$	Económico
⚖️	120 calorías
🍾	Bullas

500 g de calabacines
200 g de queso fresco
1 l de caldo de pollo
1 cucharada de eneldo
Hojas de menta
Semillas de sésamo
Pimienta
Sal

1 Primeramente, se lavan y se pelan los calabacines; a continuación, se trocean y se ponen en una cazuela junto con el caldo de pollo (que también puede ser de verduras), el eneldo y la sal, y se llevan a ebullición.

2 Transcurridos unos 15 minutos, se retiran del fuego, se incorpora el queso fresco cortado en dados y se bate todo hasta obtener una crema ligera.

3 La crema se sirve fría, adornada con unas hojas de menta, y espolvoreada con un ligero toque de pimienta y unas semillas de sésamo.

Crema de tomates

👤	4 personas
🕐	25 minutos
👨‍🍳	Fácil
$	Económico
⚖️	170 calorías
🍾	Valle de Monterrey

1 kg de tomates maduros
1 cebolla
1 diente de ajo
75 g de harina
25 g de mantequilla
3/4 l de leche
Perejil picado
Aceite de oliva
Sal

1 Se pica la cebolla muy fina y se rehoga en el aceite de oliva a fuego muy lento y tapada, de manera que casi se deshaga.

2 Por otra parte, se escaldan los tomates, se pelan y se cuecen en su mismo jugo, también a fuego muy lento. Se les puede añadir un chorrito de aceite, una pizca de sal y un diente de ajo.

3 Una vez en su punto, se retiran del fuego, se mezclan con la cebolla y se pasan por el pasapurés. Se reservan. Por otra parte, se prepara una salsa bechamel más bien clara, con la mantequilla, la harina y la leche.

4 Se mezcla la bechamel con el puré de tomates, y se deja que hierva unos minutos. Se sirve caliente, y se espolvorea por encima el perejil picado.

Crema tunecina

👤	4 personas
🕐	60 min y 3 h de reposo
👨‍🍳	Fácil
$	Económico
⚖️	120 calorías
🍾	Bierzo

4 pepinos
1/2 l de caldo vegetal
1/4 l de leche
2 yogures
Menta fresca
Tabasco
Pimienta
Sal

1 Se lavan y se pelan los pepinos; se cortan en dados y se colocan en un escurridor; se sazonan y se deja que reposen durante 45 minutos para que no resulten amargos.

2 Transcurrido ese tiempo, se bate el caldo junto con el yogur y la leche; se incorporan los pepinos y se bate de nuevo.

3 A continuación se salpimienta, se tapa y se refrigera durante unas tres horas.

4 Cuando se vaya a servir, se añade el tabasco y se espolvorea con menta fresca picada.

Crema verde

🧍	**4 personas**
🕐	**15 minutos**
👩‍🍳	**Fácil**
$	**Económico**
⚖️	**110 calorías**
🍾	**Cariñena**

15 hojas de lechuga
2 patatas hervidas
200 g de guisantes hervidos
3/4 l de leche
30 g de mantequilla
Nuez moscada rallada
Sal

1   Para comenzar, se lava muy bien la lechuga y, a continuación, se pone a cocer en agua con sal.

2   Una vez cocida, se coloca en la batidora, junto con la sal, la mantequilla, la leche, las patatas y los guisantes; se tritura todo.

3   Antes de servir, se calienta a fuego lento removiendo con frecuencia para que no se pegue.

* Esta crema puede servirse acompañada de tropezones de pan frito y con un ligero toque de nuez moscada.

Puré de apio

🧍	**4 personas**
🕐	**40 minutos**
👩‍🍳	**Fácil**
$	**Económico**
⚖️	**120 calorías**
🍾	**Somontano**

1 apio
3 patatas
100 g de mantequilla
2 dl de crema de leche
1 l y 1/2 de caldo de carne
Sal y pimienta

1   En primer lugar, se pela el apio y las patatas.

2   Se trocea todo y se cuece en el caldo hasta que el apio esté muy tierno (es decir, cuando han transcurrido aproximadamente unos treinta minutos).

3   Seguidamente, se pasa por el pasapurés, se añade la mitad de la mantequilla y la crema de leche y se pone de nuevo al fuego.

4   Se salpimienta y se deja cocer unos tres minutos.

5   En el momento de servir se añade el resto de la mantequilla.

Puré de guisantes

👤	**4 personas**
🕐	**45 minutos**
👨‍🍳	**Fácil**
$	**Económico**
⚖️	**180 calorías**
🍾	**Campo de Borja**

1 kg y 1/2 de guisantes desgranados
1 lechuga
150 g de mantequilla
Sal

1 Se limpia la lechuga y se pone en una olla con agua y sal, junto con los guisantes. Se cuece durante 30 minutos.

2 Transcurrido este tiempo, se pasa por el pasapurés y se vuelve a poner en la olla el preparado, añadiendo agua si ha quedado demasiado espeso y rectificando la sal.

3 Para finalizar, se añade la mantequilla y se deja cocer durante tres minutos más. Se sirve adornado con dados de pan frito.

Puré de la huerta

👤	**4 personas**
🕐	**90 minutos**
👨‍🍳	**Fácil**
$	**Económico**
⚖️	**190 calorías**
🍾	**Calatayud**

1 repollo
1 pechuga de pollo
500 g de zanahorias
1 apio
500 g de patatas
1 l y 1/2 de caldo
50 g de mantequilla
Perejil
Aceite de oliva
Sal

1 El primer paso consiste en lavar, pelar y cortar en trozos pequeños el repollo, las zanahorias, el apio con sus hojas y las patatas.

2 Se rehoga todo en un poco de aceite de oliva y, seguidamente, se añade el caldo hasta cubrir las verduras, dejando que cuezan hasta que estén tiernas; en este momento, se pasa todo por el pasapurés.

3 Una vez obtenido un puré fino, se vuelve a colocar la cacerola en el fuego durante unos veinte minutos, y se incorpora la pechuga de pollo cortada en pequeños dados. Se sazona.

4 Justo antes de servir se añade la mantequilla y se espolvorea el puré con perejil picado.

Puré marinero

👤	**4 personas**
🕐	**60 minutos**
👨‍🍳	**Fácil**
$	**Económico**
⚖	**150 calorías**
🍾	**Valdeorras**

500 g de puré de patatas
750 g de mejillones
6 filetes de anchoas en aceite
1 cebolla
Alcaparras
25 g de mantequilla
Vinagre
Sal
Pimienta
Perejil picado

1 Se ponen los mejillones en un cazo con dos vasos de agua; se tapan y se deja que cuezan a fuego vivo hasta que se abran. Una vez abiertos, se les quitan las valvas, y se cuela y se reserva el caldo.

2 Seguidamente, se añade el caldo de los mejillones al puré de patatas, junto con la mantequilla y un poco de sal.

3 Se coloca el puré en una fuente de servir y se adorna con los mejillones y una cucharada de alcaparras.

4 Aparte, se prepara una salsa mezclando dos cucharadas de vinagre, las anchoas machacadas en el mortero, la cebolla rallada y un poco de perejil picado; se salpimienta. Se vierte esta salsa sobre la fuente en la que se ha dispuesto el puré y se sirve frío.

Puré de patatas gratinado

👤	**4 personas**
🕐	**60 minutos**
👨‍🍳	**Fácil**
$	**Económico**
⚖	**200 calorías**
🍾	**Toro**

1 paquete de puré de patatas
3 huevos
4 lonchas de beicon
100 g de queso rallado
1 diente de ajo
Aceite de oliva
Mantequilla

1 Se prepara el puré de patata siguiendo las instrucciones del envase.

2 A continuación, se separan las yemas de las claras y se baten estas últimas a punto de nieve.

3 En una sartén se fríe el beicon finamente picado y se incorpora al puré, junto con las claras montadas (con mucho cuidado para que no se bajen) y las yemas batidas.

4 Seguidamente, se pone todo en una fuente de horno untada con un diente de ajo; se le añade un poco de mantequilla, se espolvorea con queso rallado, se introduce en el horno precalentado a 200 °C y se gratina durante 5 minutos. Se sirve al momento.

Puré de verduras

👤	**4 personas**
🕐	**1 hora y media**
👨‍🍳	**Media**
$	**Medio**
⚖️	**160 calorías**
🍾	**Rueda**

800 g de espinacas
1 patata mediana
150 g de calabaza
2 nabos medianos
1 cebolla pequeña
1 zanahoria
1/2 hoja de apio
Aceite de oliva virgen
Sal
Pimienta
Mejorana

1 Se lavan bien las espinacas con abundante agua. Se escurren y se cuecen al vapor en una olla, sin añadir agua (las hojas ya contienen suficiente).

2 Seguidamente, se lavan las restantes verduras (excepto la zanahoria, el apio y la mejorana), se trocean y se hierven en una olla con un litro de agua con sal.

3 Cuando ya estén cocidas, se cuelan y se separa el caldo de cocción. Se trituran junto con las espinacas y se coloca el puré resultante en una tartera.

4 Se doran en una sartén grande con el aceite la cebolla, la zanahoria, el apio y la mejorana. Cuando la cebolla comience a tomar color, se añade al sofrito el puré de verdura y se deja que se haga todo a fuego más bien vivo durante unos minutos, sin parar de remover para que los ingredientes se mezclen bien y no se peguen.

5 Por último, se incorpora el caldo de cocción de las verduras, se rectifica la sal y la pimienta y se lleva a ebullición durante algunos minutos.

Primeros platos

Ensaladas

Pasta

Arroz

Patatas

Legumbres y verduras

Ensaladas

Las ensaladas reciben su nombre de la palabra *sal*, ya que este ingrediente, junto con el aceite y el vinagre, ya era utilizado por los romanos con asiduidad.

Las ensaladas son uno de los platos que presentan mayor variedad y posibilidad de combinación, al aceptar casi todo tipo de ingredientes: aves, pescado, marisco, queso, carne, etc.

Las hierbas aromáticas, el yogur, una salsa vinagreta especial o cualquier otra salsa contribuyen a recrear un plato siempre sugerente y delicioso tanto en verano como en invierno.

Uno de los consejos que hay que tener en cuenta cuando se preparan ensaladas con verduras y hortalizas es el de tener la precaución, sobre todo en verano, de limpiar los distintos ingredientes con esmero, porque no hay que olvidar que se consumen crudos. Una gota de lejía por cada litro de agua eliminará cualquier tipo de parásito que con un lavado normal no desaparecería.

Empedrat

👤	**4 personas**
🕐	**15 minutos**
👨‍🍳	**Muy fácil**
$	**Económico**
⚖	**310 calorías**
🍾	**Penedès**

800 g de alubias cocidas
250 g de bacalao desalado
2 cebollas tiernas
1 tomate
4 huevos duros
100 g de aceitunas negras
Aceite de oliva
Vinagre
Sal
Pimienta

1 Para preparar esta rica ensalada, se colocan en una ensaladera las alubias cocidas y frías.

2 Seguidamente, se disponen por encima la cebolla cortada en aros, el tomate en pedacitos, el bacalao desmigado, los huevos duros cortados en dados y las aceitunas.

3 Por último, se salpimienta y se aliña con el aceite y el vinagre.

4 Se conserva en la nevera hasta el momento de servir.

Ensalada de arroz a la italiana

👤	**4 personas**
🕐	**30 minutos**
👨‍🍳	**Muy fácil**
$	**Económico**
⚖	**310 calorías**
🍾	**Conca de Barberà**

250 g de arroz
50 g de aceitunas verdes
50 g de aceitunas negras
50 g de queso de oveja
100 g de salami
4 pepinillos en vinagre
1 lata de atún en aceite de oliva
25 g de guisantes hervidos
100 g de champiñones
1 cucharada de alcaparras
1 huevo duro
Aceite de oliva
Zumo de limón
Sal y pimienta

1 En primer lugar, se cuece el arroz de la forma habitual; una vez cocido, se pasa por agua fría y se escurre bien.

2 Mientras, se trocean los otros ingredientes (excepto el huevo duro y las alcaparras), se ponen en una ensaladera y se mezclan bien. A continuación, se incorpora el arroz cocido y se mezcla de nuevo.

3 Aparte, se prepara una salsa con el aceite, el zumo de limón, la pimienta y la sal, y se vierte sobre la ensalada.

4 Por último, se adorna con el huevo duro cortado en gajos y las alcaparras, y se sirve fría.

Ensalada catalana

👤	**4 personas**
🕐	**20 minutos**
👨‍🍳	**Muy fácil**
$	**Medio**
⚖	**180 calorías**
🍾	**Priorat**

1 lechuga muy blanca
4 lonchas de jamón serrano
4 lonchas de jamón cocido
4 rodajas de mortadela
4 rodajas de salchichón
2 huevos duros
1 lata de sardinas en aceite de oliva
1 cebolla
2 tomates verdes
Aceitunas
Alcaparras
Aceite de oliva
Vinagre
Sal y pimienta

1 Se lava bien la lechuga bajo el chorro de agua fría, desechando las hojas demasiado oscuras. A continuación, se escurre bien procurando que quede lo más seca posible.

2 Seguidamente se dispone en cada uno de los platos la lechuga, los fiambres, medio huevo duro, medio tomate, las aceitunas, la cebolla y las alcaparras.

3 Esta ensalada suele servirse sin aliñar, para que cada comensal la sazone a su gusto.

Ensalada de col

👤	**4 personas**
🕐	**25 minutos**
👨‍🍳	**Fácil**
$	**Económico**
⚖	**170 calorías**
🍾	**Cariñena**

400 g de col muy blanca
50 g de pepinillos en vinagre
50 g de cebollitas en vinagre
50 g de aceitunas deshuesadas
1 lata de anchoas en aceite de oliva
Aceite de oliva
Zumo de limón
Sal

1 Se separan las hojas de la col, eliminando aquellas que no estén bien.

2 A continuación, se lavan bajo el chorro de agua fría y se ponen en un colador. Se vierte sobre la col abundante agua hirviendo y, rápidamente, para que no se ablande, se vuelve a poner bajo el chorro de agua fría.

3 Se trocea finamente, eliminando las nervaduras de las hojas si resultan demasiado duras, y se dispone en una ensaladera.

4 Seguidamente, se incorporan: los pepinillos, cortados en rodajas finas; las cebollitas, partidas en dos o cuatro trozos; las aceitunas deshuesadas, enteras o cortadas en láminas, y las anchoas troceadas.

5 Para finalizar, se aliña con aceite de oliva, zumo de limón y sal, removiendo bien para que se impregnen todos los ingredientes. Se refrigera.

PATÉ DE OLIVAS

1 lata grande de aceitunas negras sin hueso, 1 diente de ajo, 2 cucharadas de piñones, 2 anchoas en aceite, 50 ml de aceite de oliva virgen, el zumo de 1 limón

Disponga las aceitunas escurridas, el zumo de limón, el diente de ajo y las anchoas en el recipiente de la batidora, y bata todo bien. Incorpore el aceite poco a poco y siga batiendo un poco más. Sirva el paté en tostaditas, espolvoreado con perejil picado.

ENSALADA DE GAMBAS Y NARANJA

1 bolsa de ensalada, 2 naranjas, 12 langostinos cocidos, ½ cebolla, aceite de oliva virgen, vinagre balsámico
Pele las naranjas y córtelas en rodajas finas. Pele los langostinos y resérvelos. Corte la cebolla en tiras finas. Finalmente, reparta la ensalada junto con las tiras de cebolla en platos llanos de servir, y disponga por encima las rodajas de naranja y los langostinos. Aliñe con una mezcla de aceite y vinagre balsámico.

ENSALADA DE PASTA Y SETAS

300 g de pasta, 2 cebollinos, 1 diente de ajo, el zumo de 2 limones, 8 tomatitos cherry, 1 bandejita de champiñones, una ramita de albahaca, aceite de oliva

Cueza la pasta al dente, escúrrala y resérvela. Lave los champiñones y córtelos en láminas; sazónelos y saltéelos en una sartén con el cebollino picado, el diente de ajo y un chorrito de aceite. Disponga en una fuente la pasta, e incorpore los champiñones y el cebollino, así como los tomates cherry cortados por la mitad. Aliñe con el zumo de limón y el aceite de la sartén donde ha sofrito los champiñones. Decore con una ramita de albahaca.

ENSALADA GRIEGA

300 g de queso feta, 2 pepinos, 3 tomates,150 g de aceitunas negras, ½ cebolla, aceite de oliva virgen, vinagre de jerez, sal
Corte en dados el queso y el pepino; en cuartos, los tomates, y la cebolla, en tiras. Disponga todo en una ensaladera,
incorpore las aceitunas y aliñe con aceite, vinagre y sal.

Ensalada murciana

👤	**4 personas**
🕐	**25 minutos**
♨	**Muy fácil**
$	**Económico**
⚖	**150 calorías**
🍾	**Somontano**

750 g de patatas
500 g de tomates enteros al natural
  en conserva
100 g de aceitunas verdes
50 g de aceitunas negras
100 g de atún en aceite de oliva
4 cebollas tiernas
2 huevos duros
Aceite de oliva
Sal

1 Se cuecen las patatas y, una vez a temperatura ambiente, se cortan en dados pequeños.

2 A continuación, se añaden las cebollas (cortadas en aros finos), el atún desmenuzado, los huevos en rodajas, los dos tipos de aceitunas (negras y verdes) y el tomate troceado.

3 Se rocía todo con el jugo de la lata.

4 Por último, se aliña con abundante aceite y sal y se refrigera en la nevera hasta el momento de servir.

Ensalada de pepino al orégano

👤	**4 personas**
🕐	**20 minutos**
♨	**Muy fácil**
$	**Económico**
⚖	**120 calorías**
🍾	**Terra Alta**

2 pepinos
2 tomates
2 cebollas tiernas
Aceite de oliva
Vinagre o limón
Orégano
Sal y pimienta

1 Primeramente se pelan los pepinos y se trocean al gusto de los comensales.

2 Se mezclan con los tomates y las cebollas cortados.

3 Se llevan los ingredientes a una ensaladera y se aliñan con aceite, vinagre o zumo de limón, unas hojitas de orégano, sal y pimienta.

4 Se refrigera la ensalada en la nevera hasta el momento de servir.

Ensalada siciliana

🧍	**4 personas**
🕐	**15 minutos**
👨‍🍳	**Muy fácil**
$	**Económico**
⚖️	**140 calorías**
🍾	**Yecla**

4 tomates grandes
1 cebolla tierna
150 g de mozzarella
20 aceitunas negras
Aceite de oliva
Orégano
Albahaca
Sal y pimienta

1 Se lavan y se secan bien los tomates.

2 Se cortan en rodajas, que se disponen en una fuente, alternándolas con finas lonchas de mozzarella.

3 A continuación, se dispone encima la cebolla, cortada en aros finos, y las aceitunas negras.

4 Para finalizar, se salpimienta y se rocía con aceite de oliva; se espolvorea con orégano picado y se decora con unas ramitas de albahaca fresca.

5 Se sirve muy fría.

Escalivada

🧍	**4 personas**
🕐	**40 minutos**
👨‍🍳	**Fácil**
$	**Económico**
⚖️	**90 calorías**
🍾	**Rueda**

2 pimientos rojos
2 pimientos verdes
2 berenjenas
1 cebolla mediana
1 diente de ajo
Aceite
Pimienta
Vinagre (opcional)
Sal

1 Para empezar, se asan las distintas verduras (se recomienda hacerlo con fuego directo, siempre que sea posible).

2 Seguidamente, se colocan en un recipiente y se tapan herméticamente, dejándolas enfriar. (El líquido que sueltan servirá para aliñar luego las verduras).

3 Una vez frías, se pelan y se cortan en tiras, sin utilizar el cuchillo, y se disponen separadas sobre una bandeja.

4 Por último, se coloca por encima el ajo picado y el líquido que han soltado. Se aderaza todo con aceite, pimienta y sal (y vinagre, si se desea), y se sirve.

Espárragos en ensalada

👤	**4 personas**
🕐	**23 minutos**
♟	**Muy fácil**
$	**Medio**
⚖	**110 calorías**
🍾	**Alella**

32 puntas de espárragos gruesos
4 huevos duros
1/2 pepino
8 hojas muy blancas de lechuga
4 rabanitos
Aceite de oliva
Sal

1 Antes de iniciar la preparación de esta deliciosa ensalada, se pela el pepino y se corta en rodajas, que se salan y se dejan reposar durante unos 20 minutos; trascurrido este tiempo, se enjuagan bien.

2 Mientras, se hierven los espárragos y se escurren.

3 A continuación, se lavan bien las hojas de lechuga y los rabanitos, que se cortan en forma de flor. También se cortan los huevos duros en rodajas.

4 Por último, se colocan en cada plato 2 hojas de lechuga y, sobre ellas, 8 puntas de espárrago, que se adornan alternando las rodajas de huevo duro con las de pepino y rematando la decoración con los rabanitos; se aliña todo con un chorro generoso de aceite de oliva.

Esqueixada catalana

👤	**4 personas**
🕐	**20 minutos**
♟	**Muy fácil**
$	**Económico**
⚖	**180 calorías**
🍾	**Cigales**

400 g de bacalao seco
4 tomates verdes (de ensalada)
4 cebollas tiernas
100 g de aceitunas verdes
100 g de aceitunas negras
Aceite de oliva
Vinagre
Sal

1 En primer lugar, se corta el bacalao en tiras, se separa la piel y las espinas y se deja en remojo para desalarlo, cambiando el agua dos o tres veces.

2 A continuación, se pelan los tomates; por otra parte, se trocean y se cortan las cebollas en aros.

3 Realizadas estas operaciones, se llevan todos los ingredientes a una ensaladera, se aliñan con el aceite y el vinagre, se rectifica la sal y se mezclan bien.

4 La ensalada se sirve fría.

Guisantes a la vinagreta

👤	**4 personas**
🕐	**30 minutos**
👒	**Fácil**
$	**Económico**
⚖	**260 calorías**
🍾	**Valdepeñas**

1 kg de guisantes desgranados
4 huevos duros
1 cebolla mediana
Aceite de oliva
Vinagre
Sal y pimienta

1 Primeramente se hierven los guisantes en agua ligeramente salada.

2 Una vez cocidos, se escurren y se refrescan bajo un chorro de agua fría; luego, se reservan en una fuente algo honda, y se aliñan con un poco de aceite y unas gotas de vinagre.

3 A continuación, se pican la cebolla y las claras de huevo duro; se esparcen sobre los guisantes y se aliña todo con una vinagreta (véase cómo se prepara en las recetas de salsas)

4 Seguidamente, se adorna con las yemas de huevo ralladas y se rocía con unas gotas de aceite. Se salpimienta.

5 Esta ensalada se sirve a temperatura ambiente.

Lechuga al estilo del Pireo

👤	**4 personas**
🕐	**20 minutos**
👒	**Fácil**
$	**Medio**
⚖	**150 calorías**
🍾	**Bullas**

1 lechuga
4 zanahorias tiernas
1 pepino
150 g de gambas
2 tallos de apio
1 ramita de hierbabuena
Perejil
Aceite de oliva
Vinagre
Sal y pimienta

1 En primer lugar, se lava y se escurre bien la lechuga. Se lavan también las zanahorias, y se cortan en tiras finas o se rallan. Se pela y se corta en tiras el pepino. Se quitan los hilos fibrosos del apio, y se pica finamente la hierbabuena, reservando unas hojitas para adornar.

2 Seguidamente, se cuecen las gambas en agua salada, dejándolas 3 minutos desde el momento en que comienzan a hervir; se escurren, se dejan enfriar y se pelan.

3 Por último, se enrollan todos los ingredientes en las hojas de lechuga y se sujetan con un palillo.

4 Antes de servir se espolvorea con el perejil, y se lleva a la mesa junto con la salsa vinagreta que previamente se habrá elaborado.

Lechuga a la griega

👤	**4 personas**
🕐	**30 minutos**
👨‍🍳	**Muy fácil**
$	**Económico**
⚖️	**180 calorías**
🍾	**Valle de Monterrey**

1 lechuga
200 g de aceitunas negras y verdes
1 pepino
1 manojo de rábanos
2 cebollas
1/2 taza de aceite de oliva
1/3 de taza de vinagre
1 lata de anchoas en aceite de oliva
40 g de queso azul
Orégano
Sal

1 En primer lugar, se corta el pepino en rodajas finas, se sala y se deja en un colador durante 20 minutos.

2 Entretanto, se lavan y se secan los rábanos, se cortan en rodajitas, se pican finamente las cebollas y se lleva todo a una ensaladera, junto con las aceitunas, mezclando bien; se espolvorea con hojitas de orégano frescas.

3 A continuación, se prepara una salsa vinagreta con el aceite y el vinagre, y se vierte sobre el contenido de la ensaladera.

4 Por último, se incorpora la lechuga bien limpia y seca, troceada; se mezcla, y se añade el queso desmigado y las anchoas en pedacitos.

Pepinos mediterráneos

👤	**4 personas**
🕐	**10 minutos**
👨‍🍳	**Fácil**
$	**Económico**
⚖️	**100 calorías**
🍾	**Penedès**

4 pepinos
1 lata de atún en aceite
1 lechuga
Sal
Mayonesa

1 Se pelan los pepinos y se cortan longitudinalmente; se vacían un poco.

2 Se rellenan de atún, se dispone la mayonesa por encima y se sirven acompañados de lechuga cortada en juliana.

Tomates al atún

👤	**4 personas**
🕐	**15 minutos**
👨‍🍳	**Fácil**
$	**Económico**
⚖️	**130 calorías**
🍾	**Binissalem**

4 tomates medianos maduros
1 lata de atún en aceite
1 huevo duro
1 cucharadita de alcaparras
8 aceitunas negras
Mayonesa
Sal y pimienta

1 Se lavan y se secan bien los tomates. Se cortan por la mitad en sentido horizontal, y se vacían.

2 Se sazonan y se colocan boca abajo sobre un paño de cocina, para que eliminen el agua sobrante.

3 Mientras, en un bol, se mezclan el atún y el huevo duro picado junto con un poco de mayonesa. Se salpimienta.

4 Se rellenan los tomates con este preparado y se recubren con una fina capa de mayonesa, que se alisa con la ayuda de un cuchillo o espátula de madera.

5 Por último, se colocan en una fuente y se decoran con las alcaparras y una oliva negra en cada uno.

1 Se lava la escarola, y se separa la pulpa de las ñoras (hay que ponerlas a remojo con antelación) de la piel.

2 Se pone en un mortero la pulpa junto con las almendras tostadas, los dientes de ajo y un poco de sal. Se maja todo hasta obtener una pasta muy fina, a la que se irá incorporando el aceite, trabajando la mezcla como si fuera una mayonesa; al final, se añaden unas cucharadas de vinagre.

3 Se vierte esta salsa sobre la escarola y se deja en la nevera un par de horas.

4 En el momento de servir, se añaden las aceitunas, el atún desmigado, el bacalao en tiras y las anchoas troceadas.

Xató de Vilanova

👤	**4 personas**
🕐	**140 minutos**
🍲	**Difícil**
$	**Medio**
⚖	**220 calorías**
🍾	**Rioja**

2 escarolas
2 ñoras (pimientos secos)
50 g de almendras tostadas
3 dientes de ajo
100 g de bacalao desalado
100 g de atún en aceite de oliva
100 g de filetes de anchoa en aceite de oliva
200 g de aceitunas variadas
Aceite de oliva
Vinagre
Sal

Zanahorias frías en vinagre

👤	**4 personas**
🕐	**30 min y 4 h de reposo**
🍲	**Muy fácil**
$	**Económico**
⚖	**90 calorías**
🍾	**Cigales**

500 g de zanahorias
2 cucharadas de vinagre blanco
1 cucharada de azúcar
Pimentón y pimienta

1 Se raspan las zanahorias y se hierven enteras durante 10 minutos.

2 Se rallan y se ponen a macerar con el vinagre, el azúcar, el pimentón y la pimienta unas cuatro horas.

Pasta

La pasta, al igual que el arroz y las patatas, es un alimento muy nutritivo y económico, que se adapta muy bien a cualquier complemento y tipo de preparación.

Un plato de pasta proporciona cerca de un 15 % de la cantidad calórica diaria que necesita un ser humano que desarrolle una actividad normal. Así pues, constituye un recurso energético que hay que tener siempre en cuenta, y además no hay que olvidar que es altamente digerible.

Canelones a la catalana

👤	**4 personas**
🕐	**50 minutos**
👨‍🍳	**Fácil**
$	**Económico**
⚖	**420 calorías**
🍾	**Cariñena**

1 pechuga de pollo
1 cebolla
250 g de carne de cerdo picada
50 g de jamón serrano
75 g de salsa de tomate
20 placas de canelones
1 copa de vino blanco seco
Sal
Pimienta
Aceite de oliva

Para la bechamel:
25 g de harina
80 g de mantequilla
1/2 l de leche
Pimienta
Nuez moscada
2 cucharadas de queso rallado

1 Se fríe en una sartén con aceite la carne, la pechuga de pollo troceada y la cebolla. Cuando empiece a dorarse todo, se añade el vino, la sal, la pimienta, el jamón y el tomate, y se deja a fuego lento durante 15 minutos.

2 Cuando el relleno esté listo, se pasa por la picadora, teniendo en cuenta que no debe quedar excesivamente triturado.

3 Mientras, se cuecen al dente las placas de los canelones, se escurren bien (después de cortar la cocción bajo el chorro de agua fría) y se rellenan.

4 Se prepara la bechamel (véase receta) y, en una bandeja rectangular (refractaria o de barro), se extiende una capa, sobre la que se colocarán los canelones. Se cubren con el resto de la bechamel, se espolvorea queso rallado y se gratinan.

Cintas vegetales

👤	**4 personas**
🕐	**60 minutos**
👨‍🍳	**Fácil**
$	**Económico**
⚖	**370 calorías**
🍾	**Almansa**

400 g de cintas al huevo
300 g de salsa de tomate
100 g de setas
100 g de guisantes verdes
25 g de queso manchego curado
1 cebolla
1 diente de ajo
1 guindilla
Albahaca
Perejil
Sal
Aceite de oliva

1 Se desgranan los guisantes. Se pela la cebolla y el ajo, se limpian las setas y se corta todo muy fino.

2 A continuación, en una cazuela con aceite caliente, se doran la cebolla y el ajo, y se incorporan luego la guindilla y la albahaca picadas.

3 Se añade la salsa de tomate, los guisantes y un vaso de agua. Transcurridos

10 minutos se incorporan las setas y se deja que cueza 10-15 minutos más. Se rectifica la sal y se espolvorea con el perejil picado.

4 Se cuecen las cintas al dente, se incorporan a la cacerola y se añade el queso, en dados pequeños, y un par de cucharadas de aceite de oliva.

Conchillas con pimientos

👤	**4 personas**
🕐	**30 minutos**
👐	**Fácil**
$	**Económico**
⚖	**310 calorías**
🍾	**La Mancha**

400 g de conchillas
300 g de salsa de tomate
200 g de pimientos
1 cebolla
1 filete de anchoa
1 cucharada de alcaparras
1 guindilla
Perejil
Orégano
Sal
Aceite de oliva

1 En primer lugar, se lavan los pimientos y se cortan en tiras finas.

2 Seguidamente, se pica la cebolla y se dora; cuando ya casi esté, se añaden los pimientos, el orégano, la guindilla, la anchoa, las alcaparras y la salsa de tomate. Se deja que se haga a fuego lento durante 20 minutos. Se rectifica la sal.

3 Se prepara la pasta al dente, se escurre bien y se le incorpora la salsa preparada; se espolvorea un poco de perejil picado por encima.

Espaguetis del Adriático

👤	**4 personas**
🕐	**60 minutos**
👐	**Fácil**
$	**Económico**
⚖	**360 calorías**
🍾	**Alella**

400 g de espaguetis
200 g de salsa de tomate
3 berenjenas
1 diente de ajo
Perejil
Albahaca
Sal
Aceite de oliva

1 Se sofríe el tomate, y luego se añade la albahaca y el perejil picados, así como un par de cucharadas de aceite de oliva.

2 A continuación, se cortan las berenjenas en rodajas muy finas y se dejan 15 minutos en un colador con sal para que no amarguen. Transcurrido este tiempo, se lavan, se secan y se frotan con ajo con mucho cuidado para que no se rompan. Se asan en una parrilla.

3 Se colocan en una fuente honda las berenjenas asadas, la salsa de tomate y los espaguetis (cocidos *al dente* y escurridos), y se mezcla bien antes de servir.

Espaguetis Catania

👤	**4 personas**
🕐	**35 minutos**
👨‍🍳	**Fácil**
$	**Económico**
⚖️	**320 calorías**
🍶	**Méntrida**

350 g de espaguetis
100 g de aceitunas negras
200 g de tomates
4 anchoas
2 dientes de ajo
Alcaparras
Perejil picado
Pimentón dulce
Sal
Aceite de oliva

1 Se preparan los espaguetis al dente. Para ello, se hierven durante unos 10 minutos en abundante agua con sal y luego se escurren bien.

2 A continuación, en una cazuela con aceite, se doran los ajos, se añaden las anchoas trituradas, las aceitunas deshuesadas y picadas, las alcaparras y los tomates troceados. Se añade una cucharada de pimentón y se pone durante unos 15 minutos a fuego lento, removiendo para que se mezclen bien los ingredientes.

3 En una fuente se vierte esta salsa sobre los espaguetis y se espolvorea con el perejil picado.

Fideos con cebolla

👤	**4 personas**
🕐	**35 minutos**
👨‍🍳	**Fácil**
$	**Económico**
⚖️	**310 calorías**
🍶	**Valdepeñas**

400 g de fideos
4 cebollas
1 cucharada de salsa de tomate
2 dl de crema de leche
Parmesano rallado
Queso curado de oveja rallado
Mantequilla
1 pastilla de caldo
Pimienta
Sal
Aceite de oliva

1 Se pican finamente las cebollas y se rehogan a fuego lento, en una cacerola con aceite de oliva, sin que lleguen a tomar color. Al mismo tiempo, se prepara un caldo con la pastilla, y se va agregando a la cebolla hasta que esta se deshaga.

2 Se salpimienta, se añade la salsa de tomate y se deja que se vaya haciendo.

3 Se preparan los fideos al dente y, una vez escurridos, se condimentan con la crema de leche, una nuez de mantequilla y los quesos. Como punto final, se vierte por encima el preparado de cebolla y tomate, sin remover.

Lasaña de berenjenas

👤	**4 personas**
🕐	**65 minutos**
👨‍🍳	**Fácil**
$	**Medio**
⚖️	**330 calorías**
🍾	**Cigales**

2 berenjenas
150 g de jamón de York en lonchas
150 g de queso en lonchas
350 g de tomate frito
50 g de harina
8 hojas de lasaña verde
Queso rallado
Sal
Aceite de oliva
5 dl de bechamel

1 Se cuece la pasta en agua hirviendo con un chorro de aceite, removiendo para que no se pegue. Se escurre bien.

2 A continuación, se cortan las berenjenas en lonchas longitudinalmente, se sazonan y se dejan reposar unos 30 minutos para que no resulten amargas. Transcurrido este tiempo, se lavan, se pasan por harina y se fríen; seguidamente, se escurren para que no queden aceitosas.

3 En una bandeja de horno, previamente engrasada, se extiende una capa de tomate frito, y sobre ella se van colocando: una capa de berenjena, una de jamón, una de queso y una de lasaña.

4 Mientras, se prepara la bechamel, se vierte por encima de la lasaña hasta cubrirla, se espolvorea con queso rallado y se gratina en el horno.

Lasaña a la boloñesa

👤	**4 personas**
🕐	**65 minutos**
👨‍🍳	**Difícil**
$	**Económico**
⚖️	**510 calorías**
🍾	**Rioja**

300 g de lasaña
300 g de carne de ternera picada
25 g de jamón
250 g de tomates
1 apio
1 cebolla
1/2 zanahoria
1 taza de caldo de verduras
1/2 l de bechamel
Queso parmesano rallado
Sal y pimienta
Aceite de oliva
Mantequilla

1 Se sofríen las verduras y, antes de que estén completamente hechas, se les añade la carne, el jamón y el tomate.

2 Se incorpora el caldo al sofrito; mientras, se cuece la lasaña y se va preparando la bechamel (véase receta).

3 En una fuente engrasada con mantequilla, se van colocando por capas la lasaña, el sofrito y la bechamel, hasta que se terminen.

4 Por último, se salpimienta, se espolvorea con el queso y se gratina.

Macarrones con pollo

👤	**4 personas**
🕐	**35 minutos**
👨‍🍳	**Fácil**
$	**Económico**
⚖	**340 calorías**
🍾	**Rueda**

350 g de macarrones
1 pechuga de pollo
60 g de queso fresco
60 g de gruyère rallado
15 g de mantequilla
Sal

1 Se cuecen los macarrones y se reservan.

2 Se asa la pechuga, se pica y se mezcla con los quesos y con la mantequilla. Se vierte todo sobre la pasta y se sala. Se hornea.

Tagliatelle de Ravena

👤	**4 personas**
🕐	**40 minutos**
👨‍🍳	**Fácil**
$	**Económico**
⚖	**360 calorías**
🍾	**Penedès**

350 g de tagliatelle verdes
4 alcachofas
1 cebolla
1 diente de ajo
Parmesano rallado
Sal y perejil
Aceite de oliva

1 Se limpian las alcachofas y se cortan en trozos.

2 Se escurren y se doran en una sartén junto con el ajo, la cebolla y el perejil, también picados.

3 Se cuece la pasta al dente, se mezcla con el preparado de alcachofas y se espolvorea con el queso.

Tallarines napolitanos

👤	**4 personas**
🕐	**35 minutos**
👨‍🍳	**Fácil**
$	**Económico**
⚖	**330 calorías**
🍾	**Bierzo**

350 g de tallarines
400 g de tomates pelados
100 g de atún en aceite de oliva
3 anchoas
50 g de mantequilla
2 dientes de ajo
Perejil
Pimienta
Sal
Aceite de oliva

1 Se cuecen los tallarines al dente.

2 En una sartén con aceite, se doran los ajos y luego se incorporan los tomates troceados; se salpimienta y se deja que espese, momento en el que se añade el atún.

3 Mientras, en un plato se colocan las anchoas y la mantequilla, y con un tenedor se trabajan hasta que se consigue una pasta fina, que se añadirá al preparado de tomates y atún cuando ya esté listo.

4 Finalmente, se mezclan los tallarines con la salsa, se espolvorean con perejil picado y se hornean; se sirven bien calientes.

mienta y la sal. Se cubre con agua y se deja que cueza 30 minutos; se incorpora el jamón.

4 Se cuecen los tallarines y se condimentan con la salsa preparada.

Tallarines a la romana

👤	**4 personas**
🕐	**70 minutos**
🍳	**Fácil**
$	**Económico**
⚖	**390 calorías**
🍾	**Priorat**

300 g de tallarines
200 g de higadillos de pollo
100 g de carne de ternera
50 g de jamón
300 g de tomate maduro
1 cebolla
1 zanahoria
80 g de mantequilla
1 taza de bechamel
1 dl de vino blanco seco
Canela
Nuez moscada
Perejil
Sal y pimienta

1 Se pica el perejil, la cebolla y la zanahoria, y se rehogan en la mantequilla; se incorporan la carne y los higadillos.

2 Se agrega el vino, y los tomates pelados, troceados y sin semillas.

3 Transcurridos 15 minutos, se añade la bechamel, la nuez moscada, la canela, la pi-

Tirabuzones mediterráneos

👤	**4 personas**
🕐	**25 minutos**
🍳	**Fácil**
$	**Económico**
⚖	**330 calorías**
🍾	**Terra Alta**

400 g de tirabuzones
300 g de salsa de tomate
30 g de aceitunas negras deshuesadas
20 g de alcaparras
2 filetes de anchoas
2 dientes de ajo
Perejil
Aceite de oliva
Sal

1 Se cuece la pasta al dente en una cazuela con abundante agua con sal y un chorrito de aceite, removiendo frecuentemente para que no se pegue; una vez cocida, se escurre bien y se reserva.

2 Mientras tanto, a la salsa de tomate cruda se le añaden los dientes de ajo, las anchoas, las aceitunas y las alcaparras, todo bien picado. Se aliña con aceite y sal, y se espolvorea con perejil picado.

3 Finalmente, se agrega esta salsa a la pasta.

 Arroz

El arroz llegó a Occidente de la mano de Alejandro Magno, que lo descubrió durante la conquista del Imperio persa.

Contiene calcio, potasio, magnesio, fósforo y vitamina B, y aporta al organismo un 18 % de almidón, además de proteínas y agua. No requiere un proceso laborioso de digestión.

Su recogida tiene lugar entre los meses de septiembre y octubre. En la actualidad se conocen más de 8.000 especies distintas, y la cocina mediterránea sería impensable sin él, ya que puede ser preparado de múltiples maneras, y admite toda clase de combinaciones con los más diversos productos.

Arroz a banda

👤	4 personas
🕐	75 minutos
🍽	Difícil
$	Medio
⚖	390 calorías
🍾	Alella

500 g de morralla (pescado variado, para
   preparar caldo)
1 kg de pescado (rape, mero...)
1 calamar
500 g de arroz
2 ñoras
1 tomate
1 cebolla
1 cabeza de ajos
2 clavos de especia
Perejil
Limón
Sal
Aceite de oliva

1 Se calienta el aceite en una cazuela y se sofríen las ñoras. Cuando estén listas, se separan y se añade la morralla, se deja que tome color y se incorpora la cebolla con los dos clavos. Se cubre de agua, se rectifica la sal y se deja hervir un mínimo de 15 a 20 minutos a fuego vivo.

2 Transcurrido este tiempo se añade el tomate y el pescado seleccionado, y se deja otros 15 minutos al fuego.

3 En una paellera con aceite caliente se fríe el calamar cortado en aros, se incorpora el arroz y se deja que se dore. Cuando empiece a tomar color, se agrega el caldo de pescado preparado (el doble de caldo que de arroz). Se deja que se haga durante unos 20 minutos. Transcurrido ese tiem-po, se apaga el fuego y se deja que repose 5 minutos.

4 Se prepara la salsa con la que se acompañará el arroz a banda: en un mortero, se pican los ajos pelados, las ñoras, el tomate cocido y el perejil. Se añade el zumo de medio limón y unas cucharadas de caldo.

5 Se sirve el arroz con la salsa y, aparte, el pescado.

Arroz con alubias, nabos y acelgas

👤	4 personas
🕐	55 minutos
🍽	Fácil
$	Económico
⚖	315 calorías
🍾	Jumilla

300 g de arroz
200 g de carne de cerdo
500 g de alubias remojadas
4 pencas de acelgas
2 nabos
1 vaso de vino tinto rancio
Azafrán
Sal
Pimienta
Aceite de oliva

1 Primeramente, se calienta en una cazuela el aceite de oliva, se salpimienta la carne y se sofríe. Cuando ya esté dorada, se le añaden las verduras limpias y troceadas, las alubias escurridas, el azafrán y el vaso de vino; se sazona y se deja que reduzca.

2 Una vez que el alcohol del vino se haya evaporado, se cubre con agua y se deja que hierva durante unos 15 minutos.

3 Cuando las verduras estén cocidas, se añade el arroz y se deja al fuego otros 20 minutos más. Antes de servir, se deja reposar 5 minutos.

Arroz del Ampurdán

👤	**4 personas**
🕐	**70 minutos**
👨‍🍳	**Fácil**
$	**Económico**
⚖	**410 calorías**
🍾	**Somontano**

400 g de arroz
1 l y 1/4 de agua
300 g de bacalao en salazón
200 g de guisantes
100 g de cebolla
200 g de tomates
150 g de pimientos verdes
3 dientes de ajo
8 cucharadas de aceite de oliva
Azafrán
Pimentón
Pimienta
Sal

1 En primer lugar se pone el bacalao, sin remojar, en una parrilla, se rocía con un chorrito de aceite y se tuesta. Una vez tostado, se desmenuza, se le quitan las espinas y se lava en agua varias veces.

2 En una sartén con aceite caliente se rehogan los pimientos, cortados en trocitos,

y la cebolla picada hasta que esta se dore. A continuación, se añaden los ajos trinchados, el pimentón, los tomates (previamente rallados), la pimienta y los guisantes desgranados. Se añade 1/4 de litro de agua y el bacalao bien escurrido, y se cuece todo a fuego lento durante 15 minutos.

3 Transcurrido este tiempo, se añade un litro de agua y se rectifica la sal. Cuando hierva, se incorpora el arroz y el azafrán, prolongando la cocción 25 minutos.

Arroz con costra

👤	**4 personas**
🕐	**75 minutos**
👨‍🍳	**Fácil**
$	**Económico**
⚖	**430 calorías**
🍾	**Valle de Monterrey**

500 g de arroz
300 g de carne magra de cerdo
200 g de chorizo
1/2 pollo
4 salchichas
3 huevos
1 morcilla
1 cabeza de ajo
1 l y 1/2 de agua
Sal
Aceite de oliva

1 Se corta en rodajas el chorizo, se trocea la carne, se deshuesa el pollo y se prepara con estos huesos un caldo.

2 En una cazuela de barro, se calienta el aceite y se rehogan el chorizo, las salchichas, la morcilla y las carnes. A continuación, se dora la cabeza de ajo.

3 Se vuelven a poner en la cazuela todos los ingredientes junto con el arroz. Se remueve bien y se incorpora el caldo (doble cantidad de caldo que de arroz, más una porción extra de caldo). Se deja al fuego durante 15 minutos.

4 Transcurrido este tiempo, se retira la cazuela del fuego y se enciende el horno a unos 180°. Se baten los huevos y se vierten sobre el arroz. Se introduce la cazuela en el horno y se deja 8 minutos, los tres últimos gratinando para que se dore la costra de los huevos cuajados.

Arroz frío

👤	**4 personas**
🕐	**30 minutos**
👨‍🍳	**Fácil**
$	**Económico**
⚖️	**350 calorías**
🍾	**Bullas**

300 g de arroz
2 tomates maduros
2 pimientos morrones
2 dientes de ajo
2 limones
1 lata de anchoas en aceite
1 huevo duro
Aceitunas verdes y negras
Pepinillos
4 rebanadas de pan duro
Aceite de oliva

1 Se hierve el arroz en agua con sal, y se corta la cocción pasándolo por agua fría. Se escurre y se coloca en una ensaladera ovalada o rectangular.

2 En una batidora, se colocan los tomates pelados (para que resulte más fácil pelarlos, se pueden escaldar antes) y troceados, los pimientos en tiras, las anchoas, los ajos, el zumo de los dos limones, la miga de pan y un chorrito de aceite; se bate.

3 Se reparte la crema resultante sobre el arroz, y se decora con las aceitunas, el huevo duro y unos pepinillos.

Arroz a la genovesa

👤	**4 personas**
🕐	**35 minutos**
👨‍🍳	**Fácil**
$	**Económico**
⚖️	**340 calorías**
🍾	**Navarra**

1 cebolla grande
40 g de mantequilla
300 g de carne magra picada
3 alcachofas
400 g de arroz
Caldo de carne
100 g de queso parmesano rallado
Perejil
Sal
Pimienta

1 Se corta la cebolla en rodajas no muy finas. A continuación, se dora en la mantequilla junto con el perejil picado.

2 Mientras, se limpian bien las alcachofas, quitándoles las hojas más duras, y se cortan en trozos. Cuando la cebolla esté dorada, se añade la carne y las alcachofas y se sofríe todo durante 5 minutos.

3 A continuación, se agrega el arroz y el caldo de carne (el doble de cantidad que de arroz) hirviendo. Cuando hayan transcurrido aproximadamente 10 minutos, se rectifica la sal y la pimienta.

4 Cuando el arroz esté en su punto, se coloca en una cazuela untada con mantequilla, se espolvorea con el queso rallado y se introduce en el horno precalentado a 200 °C hasta que se forme una costra dorada.

rodajas y el tomate. Luego se sofríen también ligeramente las morcillas, con cuidado para que no se abran.

2 A continuación, se rehoga el arroz en la sartén (esta operación es opcional). Se incorporan los ingredientes que se han preparado y se cubre todo con agua (dos vasos de agua por cada taza de café llena de arroz).

3 Se salpimienta el caldo y se le añade el azafrán. Debe quedar sabroso, pues el caldo es lo que da gusto al arroz.

4 Para finalizar, se introduce en el horno unos 30 minutos a 180°.

Arroz al horno

⚊	**4 personas**
🕐	**50 minutos**
👨‍🍳	**Fácil**
$	**Económico**
⚖	**360 calorías**
🍾	**Rioja**

500 g de arroz
250 g de costilla de cerdo
4 morcillas de cebolla
1 patata
1 tomate
4 dientes de ajo
Azafrán
Sal
Pimienta
Aceite de oliva

1 En una cazuela plana, de barro o metal, se sofríe la carne salpimentada y, a continuación, los ajos, la patata cortada en

Arroz a la italiana

⚊	**4 personas**
🕐	**35 minutos**
👨‍🍳	**Fácil**
$	**Económico**
⚖	**370 calorías**
🍾	**Utiel-Requena**

400 g de arroz
300 g de salchichas
40 g de queso parmesano rallado
3 higadillos de pollo
4 cucharadas de tomate frito
2 cebollas
1 l y 1/2 de agua
Mantequilla
Pimienta
Sal

1 Para preparar este plato, se comienza calentando en una cacerola un par de cucharadas de mantequilla y se dora la cebolla bien picada. Cuando esté lista, se rehoga el arroz y después se le agrega el agua, se salpimienta y se deja al fuego durante 15 minutos. A media cocción se le añade el queso.

2 Mientras se hace el arroz, en otra cazuela se sofríe el resto de la cebolla bien picada, se le añaden los higadillos picados y, cuando ambos ingredientes estén prácticamente hechos, se incorporan las salchichas y el tomate frito.

3 Una vez cocido el arroz, se coloca en una fuente y se decora con las salchichas y el preparado de tomate.

2 En el mismo aceite, se fríe la carne y, cuando esté lista, se incorporan los pimientos rojos, cortados en tiras, y los tomates, pelados y troceados.

3 Aparte, en un mortero, se pican los ajos junto con la pimienta, el azafrán y el perejil. Seguidamente, se añade un poco de caldo de carne y se diluye. Se incorpora este preparado a los pimientos, los tomates y la carne, y se agrega el arroz.

4 Se añade el resto del caldo, se salpimienta y se deja que hierva durante 5 minutos. Por último, se hornea a 180° durante 20 minutos.

Arroz murciano

👤	4 personas
🕐	45 minutos
👨‍🍳	Fácil
$	Económico
⚖️	340 calorías
🍾	Calatayud

400 g de arroz
400 g de carne de cerdo
500 g de tomates
1 l de caldo de carne
4 pimientos rojos
3 dientes de ajo
Azafrán
Perejil
Sal
Pimienta negra
Aceite de oliva

1 Se fríen en una cazuela con aceite los ajos enteros; cuando tomen color, se retiran y se reservan.

Arroz negro rápido

👤	4 personas
🕐	25 minutos
👨‍🍳	Fácil
$	Medio
⚖️	330 calorías
🍾	Binissalem

1 sepia
300 g de arroz
200 g de cebollas
200 g de tomates
35 dl de agua
2 pimientos morrones de lata
2 dientes de ajo
8 cucharadas de aceite de oliva
Sal

1 Se limpia cuidadosamente la sepia (reservando la tinta) y se trocea.

2 En la olla a presión se prepara una fritada con aceite, cebolla y ajos (que previamente se habrán picado finamente); cuando la cebolla esté bien dorada, se añaden la sepia y los tomates pelados y troceados. Se sazona.

3 Seguidamente, se incorporan el agua hirviendo, el arroz, los pimientos en tiras y la tinta de la sepia; se cierra la olla, y se mantiene la cocción entre 5 y 6 minutos. Una vez transcurrido este tiempo, el arroz ya estará listo para servir.

* Para realizar este plato, también se pueden utilizar bolsitas de tinta de calamar, que se encuentran fácilmente en las tiendas de congelados.

Paella valenciana

👤	**4 personas**
🕐	**75 minutos**
👨‍🍳	**Media**
$	**Medio**
⚖️	**440 calorías**
🍶	**Rueda**

750 g de pollo troceado
600 g de conejo troceado
250 g de judías verdes
100 g de judías blancas tiernas
500 g de arroz
2 alcachofas
1 tomate pelado y sin semillas
1 pimiento rojo
1 rama de romero
Azafrán
Pimentón dulce
Agua
Sal
Aceite de oliva

1 Se pone a calentar el aceite en una paellera y se sofríen las diferentes carnes. Se reservan.

2 A continuación, se sofríen las verduras: el pimiento rojo (en tiras), los corazones de las alcachofas, las judías (verdes y blancas) y el tomate troceado.

3 Se agrega el pimentón, con cuidado para que no se queme. Se incorpora de nuevo la carne y, transcurridos unos minutos, se añade el agua en la siguiente proporción: doble medida de agua que de arroz, más una medida de agua.

4 Se rectifica la sal, se añade el azafrán y el romero, y se deja que hierva unos 7 minutos. Se incorpora ahora el arroz en forma de cruz y se deja, sin remover, durante unos 20 minutos.

* La paella, como el resto de los arroces, no debe comerse al momento; hay que dejarla reposar durante 5 minutos.

Patatas

La patata llegó a Europa procedente de América. Su origen se sitúa en Sudamérica. Fueron los descubridores los que en el siglo XVI la trajeron a España, desde donde más tarde se extendió por toda Europa. Hoy en día presenta una gran cantidad de variedades: tan sólo en España existen unas ciento cincuenta clases diferentes. La facilidad de su cultivo y sus propiedades dietéticas hacen de ella un elemento básico, esencial en la alimentación humana.

Flan de patatas a la mallorquina

👤	**4 personas**
🕐	**50 minutos**
👨‍🍳	**Fácil**
$	**Económico**
⚖️	**420 calorías**
🍾	**Méntrida**

1 kg de patatas
50 g de atún en aceite
50 g de sobrasada
75 g de mayonesa
25 g de mantequilla
12 aceitunas verdes
1 pimiento morrón
12 cl de leche

1 Se prepara un puré de patatas, añadiéndole leche y mantequilla para que de esta manera resulte más cremoso; seguidamente, se divide en dos partes iguales la cantidad obtenida.

2 Se toma una de las mitades y se dispone en una fuente redonda y plana, formando una capa de puré de unos 2 o 3 cm de grosor. A continuación, se alisa la superficie, procurando que quede muy plana.

3 En una sartén, se calienta y se deshace la sobrasada a fuego lento, y se vierte sobre el puré. Sobre esta capa se dispone el atún escurrido y desmenuzado, y se recubre con la otra mitad del puré de patatas reservado, volviendo a alisar la superficie.

4 Por último, se extiende la mayonesa por encima y se adorna con las aceitunas verdes, alternando con pequeñas tiras de pimiento morrón. Se sirve frío.

Patatas aliñadas

👤	**4 personas**
🕐	**45 minutos**
👨‍🍳	**Fácil**
$	**Económico**
⚖️	**290 calorías**
🍾	**Valdepeñas**

1 kg de patatas
2 dientes de ajo
1 limón
Perejil
Sal y pimienta
Aceite de oliva

1 Se pelan las patatas y se cortan en dados.

2 Se sazonan y se doran en una sartén con aceite de oliva durante aproximadamente media hora, a fuego lento. Se escurren y se reservan.

3 Se doran los ajos, se retiran y se majan en un mortero junto con el perejil picado, el zumo del limón, dos cucharadas de aceite, una cucharada de agua y un toque de pimienta.

4 Una vez bien ligado el majado, se echa en una sartén pequeña y se le da un ligero hervor; a continuación, se vierte inmediatamente sobre las patatas. Se sirve caliente.

Patatas con carne

👤	**4 personas**
🕐	**70 minutos**
👨‍🍳	**Fácil**
$	**Económico**
⚖️	**390 calorías**
🍾	**Costers del Segre**

4 patatas grandes
250 g de carne picada (cerdo o ternera)
25 g de mantequilla
1 cebolla
20 g de harina
4 dl de caldo de carne
1 dl de vino blanco
Aceite de oliva
Sal y pimienta

1 Se lavan y se asan las patatas en el horno, dándoles la vuelta para que se hagan de manera uniforme. El tiempo dependerá del tamaño de las patatas.

2 A continuación, en una sartén, se calienta un chorro de aceite de oliva y se dora la cebolla muy picada; se espolvorea la harina y se deja que se tueste ligeramente. Seguidamente, se incorpora el vino blanco y, transcurridos unos minutos, se diluye todo con el caldo.

3 Se salpimienta y se deja que hierva durante 10 minutos aproximadamente a fuego muy lento.

4 Una vez asadas las patatas se abren en sentido longitudinal por la parte superior y se reserva el copete. Se vacía con una cuchara el interior, y se coloca la pulpa en una cazuela con la mantequilla y la carne picada; se rehoga.

5 Seguidamente, se añade la preparación realizada en el paso número 2, que antes se habrá pasado por el pasapurés. Se mezcla todo y, transcurridos un par de minutos, se retira del fuego; se rellenan las patatas con la mezcla obtenida.

6 Finalmente, se tapan las patatas con el copete reservado y se hornean a 180° durante 15 minutos. Se deben servir muy calientes.

Patatas a la marinera

👤	**4 personas**
🕐	**50 minutos**
👨‍🍳	**Fácil**
$	**Medio**
⚖️	**360 calorías**
🍾	**Valdeorras**

1 kg de patatas
1/2 kg de chirlas
1/2 kg de mejillones
1 pimiento verde grande
1 cebolla pequeña
1 diente de ajo
Perejil
Aceite de oliva
Sal

1 Se limpian los mejillones, y se ponen las chirlas en agua con sal para que suelten la arena.

2 Se pelan, lavan y trocean las patatas; se pela y se pica muy fina la cebolla, así como el perejil. Se lava el pimiento, se eliminan las pepitas y se corta en tiras.

3 Se pone a calentar aceite en una cace-rola y se dora el ajo. A continuación, se echan todos los mejillones, se tapa la cazuela y se deja que se abran al vapor. A medida que se vayan abriendo, se sacan y se reservan.

4 En una cazuela de barro se calienta el aceite de oliva y se rehoga la cebolla; seguidamente, se incorporan las patatas, el pimiento y la mitad del perejil picado. Se rehoga durante unos minutos y se vier-te el jugo que han soltado los mejillones, previamente colado; se añade agua hir-viendo hasta cubrir.

5 Por otra parte, se escurren las chirlas, se pasan bajo el agua del grifo para elimi-nar por completo la arena y se incorporan al guiso. Transcurridos 15 minutos, se añaden los mejillones sin cáscara, se recti-fica la sal y se deja que cuezan otros 15 minutos. Se adorna con el resto del perejil y se sirve en la misma cazuela.

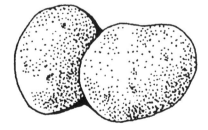

Patatas murcianas

👤	**4 personas**
🕐	**40 minutos**
👨‍🍳	**Fácil**
$	**Económico**
⚖	**350 calorías**
🍾	**Ribera del Duero**

1 kg de patatas
4 ajos
50 g de manteca de cerdo
150 g de chorizo para freír
4 huevos
50 g de queso seco
Perejil
Vinagre
Aceite de oliva
Sal

1 Primeramente, se pelan, lavan y cor-tan las patatas en rodajas de unos tres milímetros de grosor.

2 Seguidamente, se calienta el aceite de oliva y la manteca de cerdo en una cazue-la de barro (una parte de manteca de cerdo por cada tres de aceite). Cuando esté bien caliente se incorporan las patatas y se fríen a fuego bajo.

3 Mientras tanto, se va preparando una picada de ajo y perejil, a la que se añade también un poco de vinagre y tres partes de agua.

4 Cuando las patatas ya estén doradas, se retira la cazuela del fuego y se elimina la mayor parte del aceite. En ese momen-to se vierte la picada en la cazuela, se vuelve a poner al fuego hasta que hierva y se retira de nuevo. Se sazona.

5 Se coloca el chorizo cortado en rodajas sobre las patatas, de manera que las cubra, y sobre el chorizo se pone un huevo por persona; se espolvorea todo con el queso rallado.

6 Por último, se introduce la cazuela en el horno, precalentado a 180°, hasta que los huevos cuajen y el queso se gratine (unos 5 minutos).

continuación, se incorporan los pimientos cortados en tiras. Se sazona.

3 Para finalizar, se vierte agua hirviendo hasta cubrir las patatas, se sazona y se deja cocer a fuego lento durante 30 minutos. Si el guiso se seca demasiado, puede añadirse agua templada.

4 Se sirve caliente, con pimentón dulce espolvoreado por encima.

Patatas con pimientos

👤	**4 personas**
🕐	**45 minutos**
👨‍🍳	**Fácil**
$	**Económico**
⚖	**290 calorías**
🍾	**Jumilla**

1 kg de patatas
4 pimientos verdes
2 tomates
1 cebolla
15 g de harina
Pimentón dulce
Aceite de oliva
Sal

1 Se rehoga la cebolla picada muy fina en una cazuela con aceite. Cuando empiece a tomar color, se añaden los tomates rallados y una cucharadita de pimentón; se deja que se haga a fuego lento durante 10 minutos.

2 Mientras tanto, se pelan, lavan y trocean las patatas, y se añaden al sofrito. Se incorpora la harina y se remueve bien; a

Patatas rellenas

👤	**4 personas**
🕐	**75 minutos**
👨‍🍳	**Muy fácil**
$	**Económico**
⚖	**340 calorías**
🍾	**Cariñena**

8 patatas medianas
100 g de jamón cocido
100 g de queso rallado
2 huevos
50 g de mantequilla
Sal y pimienta

1 Para empezar, se lavan las patatas, se envuelven individualmente con papel de aluminio y se introducen en el horno precalentado a 160° durante una hora.

2 Transcurrido este tiempo, se quita el papel, se corta la parte superior y se retira parte de la pulpa con una cucharilla.

3 En un bol se mezcla la pulpa de patata con las yemas de huevo, el queso, el jamón picado muy fino, la mantequilla y las claras a punto de nieve. Se salpimienta y se rellenan las patatas con esta mezcla.

4 . Se introducen nuevamente en el horno, y se gratinan hasta que queden doradas. Se sirven envueltas con el papel de aluminio.

Patatas en salsa verde

👤	**4 personas**
🕐	**45 minutos**
👨‍🍳	**Fácil**
$	**Económico**
⚖️	**280 calorías**
🍾	**Priorat**

1 kg de patatas
6 dientes de ajo
35 g de harina
Perejil
Sal
Aceite de oliva

1 Se pelan, lavan y cortan las patatas en forma de rueda, con un grosor de medio centímetro.

2 Aparte, se pican los dientes de ajo y el perejil; se fríe el ajo hasta que esté casi dorado, y en ese momento se añade una cucharada de perejil y la harina. Mientras tanto, se pone agua a hervir en una olla.

3 Se incorporan las patatas al sofrito, se mezcla bien y se vierte con cuidado el agua hirviendo hasta cubrirlas. Se sazonan y se dejan una media hora para que se

vayan haciendo. Cuando estén casi hechas, se espolvorea con gran cantidad de perejil picado. Se sirve caliente.

Patatas con sepia

👤	**4 personas**
🕐	**50 minutos**
👨‍🍳	**Fácil**
$	**Medio**
⚖️	**330 calorías**
🍾	**Penedès**

740 g de patatas
500 g de sepia
1 cebolla
1 diente de ajo
1/2 vaso de vino blanco
8 cucharadas de aceite de oliva
Perejil
Sal gorda

1 En primer lugar, se pelan y se trocean las patatas; se limpia y se corta la sepia.

2 Se calienta el aceite en una cazuela y se dora el diente de ajo. Una vez dorado, se machaca en el mortero junto con el perejil y la sal gorda; se diluye la mezcla con el vino.

3 En el mismo aceite donde se ha dorado el ajo se fríe la sepia; una vez que se ha evaporado el agua que suelta, se añade la cebolla picada y, antes de que esta se dore, se incorporan las patatas y se doran un poco.

4 Se cubre con agua y se deja que cueza a fuego lento durante media hora.

5 Se rectifica la sal y se sirve caliente.

Patatas al vino

👤	**4 personas**
🕐	**45 minutos**
👨‍🍳	**Fácil**
$	**Económico**
⚖	**340 calorías**
🍾	**La Mancha**

1 kg de patatas
1 cebolla mediana
150 g de tomate rallado
2 pimientos rojos
2 ajos
1 dl de vino blanco seco
Perejil
1 pastilla de caldo de carne
Aceite de oliva
Sal

1 Se asan los pimientos, se pelan, se les quita las pepitas y se cortan en tiras.

2 En una cazuela, se calienta un chorro de aceite y se doran la cebolla, los ajos y el perejil, bien picados; se retiran del fuego.

3 En el mismo aceite se rehogan las patatas, cortadas en dados; se les añade el tomate rallado, el vino blanco y la pastilla de caldo. Mientras, en el mortero, se machaca el sofrito preparado anteriormente, y se incorpora a las patatas; se remueve bien y se cubre con agua.

4 Se deja que cueza a fuego lento de 15 a 20 minutos; finalmente, se incorporan las tiras de pimiento, se sazona y se deja que termine la cocción.

Suflé

👤	**4 personas**
🕐	**90 minutos**
👨‍🍳	**Difícil**
$	**Económico**
⚖	**350 calorías**
🍾	**Rueda**

1 kg de patatas
100 g de queso parmesano
100 g de mantequilla
12 cl de leche
3 huevos
Nuez moscada
Sal y pimienta

1 Se pelan las patatas, se trocean y se cuecen en agua hirviendo con sal. Cuando estén listas, se escurren y se pasan por el pasapurés.

2 Se funde en una sartén la mantequilla y se mezcla bien con la leche; se sazona con pimienta, sal y nuez moscada rallada. Se retira del fuego y, sin dejar de remover, se incorpora el queso rallado y las tres yemas de los huevos. Seguidamente se incorpora también el puré de patatas.

3 Se montan las claras a punto de nieve y se agregan al puré, mezclando con cuidado y siempre de abajo arriba.

4 Se unta una fuente de horno con mantequilla, se vierte el suflé, se nivela la superficie y se hornea durante 45 minutos a 180°. Se sirve caliente.

Legumbres y verduras

Las legumbres se dividen en dos grandes grupos: verdes (hortalizas y verduras) y secas (leguminosas); estas últimas son las que normalmente se conocen como legumbres. Dentro de las leguminosas se encuentran los garbanzos, las lentejas y las judías blancas.

Las verduras tienen una vida corta; el paso del tiempo perjudica su gran valor nutritivo. Lo ideal es comprarlas y consumirlas recién cortadas, para que mantengan todas sus vitaminas. Es interesante comprarlas en plena temporada, pues son más baratas, sabrosas y tienen un mayor valor nutritivo.

En el momento de cocerlas es importante —salvo excepciones— utilizar poca cantidad de agua, tapar el recipiente y cocer el tiempo justo, para evitar así la pérdida innecesaria de vitaminas. Hay que recordar que el agua de cocción tiene una gran riqueza y resulta exquisita para preparar sopas, purés, cremas e incluso algunas salsas.

CALABACINES RELLENOS

3 calabacines, 300 g de carne de cordero picada, 1 cebolla, 2 dientes de ajo, 1 cucharada de aceite de oliva, ½ kg de salsa de tomate, queso rallado, sal

De un calabacín saque 4 tiras para las bases, y áselas en una plancha con unas gotas de aceite; resérvelas. En una sartén, sofría la cebolla con el ajo; incorpore los calabacines bien picados, y luego añada la carne; cuando esté casi hecha, agregue el tomate. Deje rehogar todo hasta que reduzca bien la salsa. A continuación, disponga las tiras de calabacín forrando el interior de unos moldes de emplatar redondos; rellene con el sofrito, espolvoree el queso rallado, retire los moldes y gratine unos minutos antes de servir.

MOUSSAKA

3 berenjenas, 350 g de carne de ternera picada, 1 cebolla, 2 dientes de ajo, aceite de oliva virgen, ½ kg de salsa de tomate, queso rallado, sal

Corte las berenjenas en rodajas, y cuézalas durante 5 minutos en una cazuela con agua y sal; transcurrido este tiempo, escúrralas bien y resérvelas. En una sartén, sofría la cebolla con el ajo; incorpore la carne y, cuando esté casi hecha, agregue el tomate. Una vez preparado el sofrito con la carne, disponga las rodajas de berenjena en una fuente untada con unas gotas de aceite, y vaya colocando capas alternas con el sofrito. Finalice con una rodaja de berenjena, cubra con queso rallado y hornee 15 minutos a 180°.

ENSALADA DE CUSCÚS

1 vaso de cuscús, 1 ½ vasos de agua, 100 g de aceitunas negras, 1 latita de pimientos morrones, 1 latita de maíz, 150 g de queso fresco, unas hojas de albahaca, aceite, vinagre, sal

Disponga el cuscús en una fuente; ponga a hervir el agua con una pizca de sal, y a continuación vierta el agua sobre el cuscús; déjelo remojar 15 minutos, tapando la fuente. En un bol, mezcle el maíz escurrido y el queso fresco con los pimientos y las aceitunas negras picadas; añada el cuscús cuando esté frío, aliñe con aceite y vinagre y decore con unas hojas de albahaca antes de servir.

PASTA CON ESPÁRRAGOS

400 g de plumas, 100 g de puntas de espárragos trigueros, ½ pimiento amarillo, 1 pimiento rojo, 150 g de gambas peladas, 4 cucharadas de aceite de oliva, 2 dientes de ajo, sal, pimienta

Cueza la pasta al dente, escúrrala y resérvela. Ponga en una sartén el aceite con los ajos machacados; cuando estos tomen color, retírelos e incorpore los pimientos troceados, las puntas de espárrago y las gambas; deje que se hagan, y salpimiente al final. Incorpore la pasta a la sartén y saltéela unos segundos; sírvala inmediatamente.

Alcachofas con patatas

👤	4 personas
🕐	60 minutos
👨‍🍳	Fácil
$	Económico
⚖	280 calorías
🍾	Almansa

8 alcachofas medianas
1 cebolla pequeña
1 diente de ajo
500 g de patatas
Aceite de oliva
Perejil
Sal

1 En primer lugar, se pelan y se trocean las patatas.

2 A continuación, se limpian las alcachofas, quitándoles los tallos y las hojas duras.

3 En una cazuela de barro con aceite, se doran el ajo y la cebolla, finamente picados. Una vez dorados, se añaden las patatas, se rehogan y se cubren con agua hirviendo. Se sazona el guiso y se deja cocer a fuego lento durante 45 minutos aproximadamente.

4 Estas alcachofas con patatas deben servirse bien calientes, espolvoreadas con abundante perejil picado.

Alcachofas sicilianas

👤	4 personas
🕐	30 minutos
👨‍🍳	Fácil
$	Económico
⚖	230 calorías
🍾	Valdepeñas

750 g de alcachofas
100 g de pan rallado
80 g de aceitunas negras deshuesadas
50 g de anchoas
50 g de alcaparras
1 diente de ajo
1 limón
Perejil
Sal
Aceite de oliva

1 Se limpian las alcachofas, eliminando los tallos y las hojas más duras. Se ponen en un recipiente con agua y limón.

2 Para preparar el relleno, se pica la parte tierna de los tallos junto con las aceitunas deshuesadas, las anchoas, las alcaparras, el ajo y el perejil. Se añade un par de cucharadas de pan rallado y de aceite de oliva, se sazona y se mezcla bien.

3 Seguidamente, se escurren las alcachofas, se abren las hojas, se rellenan y se colocan en una olla con las hojas hacia arriba.

4 Se cuecen al vapor durante 20 minutos, con el fuego más bien fuerte. Se dejan reposar 5 minutos y ya están listas para servir.

* Puede ponerse una cucharada de aceite de oliva virgen sobre cada una, para realzar el sabor.

Alubias rojas guisadas

👤	**4 personas**
🕐	**120 minutos**
👨‍🍳	**Fácil**
$	**Económico**
⚖️	**380 calorías**
🍾	**Rioja**

500 g de alubias rojas
2 morcillas
1 trozo de chorizo
1 oreja de cerdo
1 cebolla
2 tomates
25 g de harina
Sal
Aceite de oliva

1 La noche anterior se ponen a remojo las alubias en agua fría. Para su preparación, después de escurrirlas y lavarlas, se colocan en una olla, se cubren con agua fría y se ponen al fuego. Cuando comience a hervir, se incorporan la oreja y el tomate frito.

2 Transcurridos unos 90 minutos, se añade el chorizo y la morcilla. Mientras, se coloca un chorrito de aceite en una sartén y se fríe la cebolla, bien picada; una vez dorada, se añade la harina hasta que coja color, y se incorpora este sofrito a las alubias.

3 Pasada media hora se retira del fuego y se sirve en una fuente, con el chorizo y la morcilla troceados.

Berenjenas rellenas con pimientos

👤	**4 personas**
🕐	**50 minutos**
👨‍🍳	**Fácil**
$	**Medio**
⚖️	**250 calorías**
🍾	**Jumilla**

4 berenjenas
4 tomates
3 pimientos
1 tallo de apio
1 cebolla
50 g de queso rallado
100 g de mantequilla
1 guindilla
Aceite de oliva
Sal y pimienta

1 Se cortan las berenjenas por la mitad, longitudinalmente, y se vacía parte de la pulpa después de haberlas escaldado en agua hirviendo. Cuando estén listas, se colocan en una bandeja para gratinar, untada de aceite.

2 Mientras, se pica la cebolla y se sofríe en una sartén con un poquito de aceite; cuando empiece a tomar color, se añade el apio, los pimientos, media guindilla, la pulpa extraída de las berenjenas y los tomates pelados y picados.

3 Se salpimienta el sofrito, y se deja 10 minutos más a fuego moderado. Transcurrido este tiempo, se rellenan las berenjenas, se espolvorean con queso rallado, se les coloca una pequeña nuez de mantequilla y se gratinan en el horno a 180°.

Börek

👤	**4 personas**
🕐	**90 minutos**
👨‍🍳	**Fácil**
$	**Económico**
⚖️	**360 calorías**
🍾	**Somontano**

Para la masa:
200 g de harina
1 huevo
1 pizca de levadura en polvo
2 cucharadas de aceite de oliva
4 cucharadas de yogur
Sal

Para el relleno:
250 g de queso de cabra fresco
Perejil picado
Cebollino picado
Sal y pimienta

1 Primeramente hay que preparar la masa; para ello, se mezcla la harina con la levadura y se pone encima del mármol formando una «montaña». Se hace un hueco en el centro y se colocan dentro el huevo crudo, el aceite, el yogur y la sal. Se trabaja bien la masa con las manos hasta que quede suave.

2 Seguidamente, se toman porciones del tamaño de una nuez y se estiran con el rodillo, dándoles forma rectangular.

3 Aparte, se prepara el relleno, mezclando el queso con el perejil y el cebollino y salpimientando; se coloca una porción de relleno encima de cada rectángulo de masa, que luego se cerrará apretando los bordes con un tenedor.

4 Por último, se colocan en una fuente, se untan con un poco de aceite y se introducen en el horno precalentado a 180° durante 20 minutos.

Calabacines en salsa

👤	**4 personas**
🕐	**25 minutos**
👨‍🍳	**Fácil**
$	**Económico**
⚖️	**260 calorías**
🍾	**Conca de Barberà**

1/2 kg de calabacines
1/4 l de agua
50 g de manteca de cerdo
1 cebolla
1 yema de huevo
2 rebanadas de pan
5 cl de vino blanco
1 pastilla de caldo de carne
Sal

1 Se pelan los calabacines, se cortan longitudinalmente y luego, a su vez, se corta cada mitad en cuatro trozos, también longitudinalmente. Se cuecen durante unos 10 minutos en agua con la pastilla de caldo de carne.

2 A continuación, se cuelan y se reserva el caldo; se rehogan en una sartén con la manteca de cerdo, se escurre la grasa y se colocan en una cazuela.

3 En el resto de la manteca se fríe la cebolla picada y el pan cortado en trocitos; cuando estén dorados, se añade el caldo que habíamos reservado, los calabacines y el vino blanco. Se deja que cueza unos 5 minutos y se rectifica la sal.

4 Finalmente, se colocan los calabacines en una fuente y se vierte por encima la salsa, a la que se habrá añadido una yema de huevo.

Cebollas rellenas al gratén

👤	**4 personas**
🕐	**30 minutos**
👨‍🍳	**Fácil**
$	**Económico**
⚖	**290 calorías**
🍶	**Yecla**

4 cebollas grandes blancas
150 g de carne picada
50 g de queso rallado
50 g de mantequilla
25 g de harina
5 dl de leche
Nuez moscada
Pimienta blanca
Sal
Aceite de oliva

1 Se pelan las cebollas y se vacían un poco, dejando un hueco para rellenar.

2 En una sartén, se calienta el aceite y se fríe la pulpa que hemos extraído de las cebollas finamente picada junto con la carne. Cuando empieza a dorarse, se incorpora la harina, removiendo bien; se añade la leche, la nuez moscada, la pimienta y la sal.

3 A continuación, se rellenan las cebollas con la mezcla preparada y se colocan en una fuente de horno, untada con mantequilla. Se espolvorean con el queso rallado y se hornean a 200° durante unos 10 minutos.

Champiñones al estragón

👤	**4 personas**
🕐	**15 minutos**
👨‍🍳	**Fácil**
$	**Económico**
⚖	**210 calorías**
🍶	**Bullas**

1 kg de champiñones
1 limón
25 g de estragón
100 g de salsa mayonesa
Sal

1 Se limpian bien los champiñones y se ponen a remojo en agua tibia. Transcurridos unos minutos, se escurren y se ponen a cocer en un poco de agua con sal y el zumo de medio limón. Se dejan unos 5 minutos.

2 Se vuelven a escurrir y se deja que se enfríen. Mientras, se hace una salsa con la mayonesa, el estragón y el zumo de medio limón.

3 Para finalizar, se disponen los champiñones en una fuente y se condimentan con la salsa preparada.

Cocarrois mallorquín

👤	**4 personas**
🕐	**90 minutos**
👨‍🍳	**Difícil**
$	**Económico**
⚖	**400 calorías**
🍾	**Valle de Monterrey**

Para la masa:
350 g de harina
50 g de manteca de cerdo
20 g de azúcar
1 dl de aceite de oliva
1 dl de agua
1 huevo

Para el relleno:
750 g de espinacas
50 g de pasas
25 g de piñones
Pimentón
Aceite de oliva
Sal

1 En primer lugar, se prepara la masa, que luego se dejará reposar mientras se prepara el relleno. Para ello, se mezcla en un recipiente el huevo, la manteca de cerdo y el aceite, y se remueve con una cuchara de madera hasta que la mezcla tenga una consistencia cremosa; en ese momento se añade el agua y el azúcar, y se va incorporando lentamente la harina. Cuando la masa ha adquirido consistencia se tapa con un paño.

2 Seguidamente, se cuecen las espinacas, previamente lavadas y cortadas, durante aproximadamente 10 minutos en agua hirviendo con sal. Luego se escurren, eliminando la mayor cantidad de líquido posible.

3 Una vez escurridas, se sofríen junto con las pasas, los piñones y un poco de sal durante unos minutos. Se añade una cucharadita de pimentón, se remueve bien y se retira la sartén del fuego, para evitar que el pimentón se queme.

4 Se extiende la masa con la ayuda de un rodillo, y se cortan porciones circulares de unos 20 cm de diámetro. Se coloca en el centro de cada porción de masa un poco de relleno y se cierra, presionando los bordes.

5 Finalmente, se colocan los cocarrois en una bandeja engrasada y se introducen en el horno precalentado a 180° durante 35 minutos.

Coliflor al estilo del Pireo

👤	**4 personas**
🕐	**35 minutos**
👨‍🍳	**Fácil**
$	**Económico**
⚖	**220 calorías**
🍾	**Toro**

1 coliflor
1 cebolla grande
3 dientes de ajo
2 tomates pelados
1 yogur natural
1 dl de agua
Aceite de oliva
Sal

1 Se pica muy finamente la cebolla y los ajos. A continuación, se calienta el aceite en una cazuela y se fríen estos ingredientes junto con los tomates troceados. Cuando estén casi hechos, se agrega el agua.

2 Cuando comience a hervir, se incorpora la coliflor troceada y se sazona. Se tapa la cazuela y se deja que cueza durante 20 minutos.

3 Finalmente, se añade un yogur en el momento de servir, removiendo para que se mezclen bien todos los ingredientes.

Croquetas de berenjena

👤	**4 personas**
🕐	**25 minutos**
🍲	**Fácil**
$	**Económico**
⚖	**200 calorías**
🍾	**Cigales**

4 berenjenas
1 huevo
Albahaca
40 g de pan rallado
Harina
50 g de queso rallado
Sal y pimienta
Aceite de oliva

1 En primer lugar, se pelan las berenjenas, se cortan de forma longitudinal en cuatro trozos y, seguidamente, se cuecen en abundante agua con sal.

2 Una vez cocidas, se escurren bien, se deja que se enfríen y se prensan para que desprendan todo el agua. A continuación, se pasan por el pasapurés, se les añade el queso rallado, la albahaca picada, el huevo y el pan rallado, y se salpimientan.

3 Con esta pasta se forman las croquetas, que se pasan por harina y se fríen en abundante aceite caliente.

Ensalada de judías blancas con jamón

👤	**4 personas**
🕐	**60 minutos**
🍲	**Fácil**
$	**Económico**
⚖	**370 calorías**
🍾	**Cariñena**

500 g de judías blancas
250 g de jamón de York en un trozo
6 huevos duros
1 cebolla
1 lata de anchoas en aceite
Aceitunas negras
Alcaparras
Perejil
Sal
Pimienta
Aceite de oliva
Vinagre

1 La noche anterior se ponen a remojo las judías blancas. En el momento en que se vayan a preparar, se escurren bien y se hierven en agua fría con sal (durante unos 40 minutos en una olla a presión).

2 A continuación, se pela la cebolla y se corta en aros; se trocea en tacos el jamón, y se cortan las anchoas en trocitos y los huevos en rodajas.

3 En el momento en que las judías estén listas, se escurren y se colocan en una ensaladera, mezclándolas bien con los ingredientes ya preparados. Luego se añaden las olivas y las alcaparras. Se aliña y, por último, se espolvorea con el perejil.

Escudella i carn d´olla

👤	**4 personas**
🕐	**150 minutos**
👨‍🍳	**Difícil**
$	**Medio**
⚖	**280 calorías**
🍾	**Conca de Barberà**

300 g de carne de buey
250 g de gallina
100 g de butifarra negra
100 g de tocino magro
100 g de garbanzos remojados
1 apio
2 zanahorias
2 nabos
3 patatas

Para la pelota:
150 g de carne de ternera picada
1 butifarra
1 huevo
1 diente de ajo
Harina
2 rebanadas de pan
Perejil picado
Canela
Pimienta
Sal

Para la sopa:
150 g de pasta gruesa

1 Se pone una olla al fuego con unos 3 litros de agua y sal. Cuando empieza a

hervir, se echan las carnes, el tocino, los garbanzos, las zanahorias, el apio y los nabos (todo pelado y lavado) y se deja que hierva durante unas dos horas, espumando de vez en cuando.

2 Aparte, se prepara la *pilota*: se mezcla la carne picada con la butifarra, el huevo, el perejil y el ajo picados y la miga de pan (que previamente se habrá remojado en leche). Se salpimienta y se le añade una pizca de canela en polvo.

3 Se trabaja esta masa de carne y se le da forma alargada. Se enharina y se incorpora al caldo cuando ya hayan transcurrido las dos horas, junto a las patatas peladas. Se deja que hierva 30 minutos.

4 Se separa el caldo necesario para hervir la pasta y, cuando está a punto, se apaga el fuego y se incorpora la butifarra negra. Se sirve primero la sopa y, a continuación, en una bandeja, las carnes y verduras.

Espinacas a la catalana

👤	**4 personas**
🕐	**30 minutos**
🍳	**Muy fácil**
$	**Económico**
⚖	**320 calorías**
🍾	**Penedès**

750 g de espinacas
100 g de piñones
100 g de uvas pasas
4 cucharadas de aceite de oliva
Sal

1 En primer lugar, se lavan bien las espinacas.

2 Seguidamente, se cuecen en agua con sal y, una vez que estén cocidas, se escurren bien.

3 A continuación, en una sartén con aceite caliente se rehogan las pasas y los piñones, removiendo bien para que no se quemen.

4 Se incorporan las espinacas al sofrito, se remueve bien y se mantienen en el fuego unos 5 minutos, con el fin de que tomen sabor.

5 Por último, se sirve este plato bien caliente.

Espinacas al horno

👤	**4 personas**
🕐	**50 minutos**
🍳	**Fácil**
$	**Económico**
⚖	**360 calorías**
🍾	**Priorat**

1 kg y 1/2 de espinacas
4 huevos
1 cebolla
1 loncha de jamón serrano
1 diente de ajo
30 g de queso gruyére rallado
1 dl de crema de leche
30 g de mantequilla
Aceite de oliva
Sal y pimienta

1 Se lavan las espinacas, se salan y se cuecen al vapor durante unos 3 minutos.

2 Seguidamente, se calienta en una sartén el aceite y una cucharada de mantequilla y se sofríe la cebolla, el ajo y el jamón troceados, a fuego muy lento, hasta que la cebolla empiece a tomar color; en este momento, se incorpora el sofrito a las espinacas.

3 Se baten los huevos junto con la crema de leche, el queso y una pizca de sal y pimienta; se vierte esta mezcla sobre las espinacas.

4 Para finalizar, se coloca todo en una fuente y se hornea 30 minutos a 175°.

Garbanzos con espinacas

👤	**4 personas**
🕐	**45 minutos**
👨‍🍳	**Fácil**
$	**Económico**
⚖️	**330 calorías**
🍾	**Rueda**

300 g de garbanzos
750 g de espinacas
4 patatas
4 dientes de ajo
3 tomates maduros
3 huevos duros
Pimentón
Pimienta en grano
Sal
Aceite de oliva

1 Se colocan los garbanzos —que se habrán puesto a remojo la víspera— en la olla a presión; se cubren con agua, se salan y se cuecen durante 20 minutos.

2 Se retiran del fuego, se escurren y se reserva el agua de cocción. Seguidamente, en la misma olla, se fríen los dientes de ajo cortados en láminas; cuando estén listos, se añade el tomate rallado y el pimentón.

3 Se rehogan los garbanzos en el sofrito, añadiéndoles las espinacas limpias y picadas, así como las patatas troceadas.

4 Aparte, en un mortero, se maja un diente de ajo, tres granos de pimienta y una cucharada de aceite. Se incorpora al guiso y se cubre con el caldo que habíamos reservado. Se mantiene en el fuego 15 minutos, y se sirve en una fuente adornado con los huevos duros picados.

Habas a la catalana

👤	**4 personas**
🕐	**20 minutos**
👨‍🍳	**Fácil**
$	**Económico**
⚖️	**350 calorías**
🍾	**Rioja**

750 g de habas
200 g de butifarra negra
100 g de tocino
100 g de jamón
100 g de manteca
200 g de cebolla
2 dientes de ajo
100 g de puré de tomate
1 vaso de vino rancio
1 copa de anís seco
Hierbas aromáticas
1/2 l de agua
Perejil
Sal y pimienta

1 Se funde en la olla a presión la manteca, y se sofríe en ella la mitad del tocino cortado en tiras y las hierbas aromáticas.

2 A continuación se incorporan la cebolla y los ajos cortados en trozos muy pequeños. Cuando estén dorados, se añaden la butifarra y la mitad del jamón y se deja que rehogue unos minutos.

3 Seguidamente, se retira el tocino y la butifarra; se añaden las habas, el puré de tomate, el vaso de vino, el anís y el agua; se cierra la olla y se deja que cueza unos 6 minutos. Se salpimienta.

4 Transcurrido este tiempo, se abre la olla, se incorporan el tocino y el jamón y se sirve todo espolvoreado con perejil.

Hinojo a la griega

👤	**4 personas**
🕐	**35 minutos**
🖐	**Fácil**
$	**Económico**
⚖	**270 calorías**
🍶	**Alella**

2 pencas de hinojo (unos 600 g)
3 yogures
Perejil
Estragón
Menta fresca
Sal

1 En primer lugar se limpia bien el hinojo y se corta en cuatro trozos.

2 Seguidamente, se cuece en agua con sal durante 25 minutos.

3 Mientras tanto, se pican bien las hierbas (perejil, estragón, menta fresca), se mezclan con los yogures y se sazona la salsa.

4 Una vez cocido el hinojo, se escurre bien y se deja enfriar.

5 Por último, se coloca en una fuente y se vierte la salsa de yogur por encima.

6 Se sirve.

Judías alicantinas

👤	**4 personas**
🕐	**40 minutos**
🖐	**Fácil**
$	**Económico**
⚖	**250 calorías**
🍶	**Méntrida**

1 kg de judías verdes
1 cebolla
1 diente de ajo
1/2 kg de tomates maduros
100 g de jamón serrano
Sal y pimienta
Aceite de oliva

1 Se lavan bien las judías y se cuecen en agua con sal.

2 Aparte, en una sartén, se calienta el aceite y se rehoga la cebolla picada junto con el jamón troceado.

3 Cuando empiece a tomar color, se añade el ajo picado y los tomates pelados y rallados.

4 Una vez preparado el sofrito se incorporan las judías, se salpimienta y se deja que cueza todo tapado durante quince minutos.

5 Se deja reposar unos minutos y luego se sirve.

Judías blancas guisadas

👤	**4 personas**
🕐	**180 minutos**
👨‍🍳	**Fácil**
$	**Económico**
⚖	**340 calorías**
🍾	**Jumilla**

500 g de judías blancas
1/2 cabeza de ajos
150 g de chorizo
1 cebolla
1 hoja de laurel
25 g de harina
Pimentón
Sal
Aceite de oliva

1 La noche anterior, se ponen las judías a remojo.

2 Se colocan las judías escurridas en una olla, y se cubren con agua fría; se mantienen tapadas hasta que alcancen el punto de ebullición. En ese momento, se retiran del fuego, se cuelan y se reserva el caldo; se colocan en la misma olla, y se cubren de nuevo con agua fría; se incorporan los ajos, el chorizo, media cebolla y el laurel, y se deja que cuezan durante dos horas a fuego lento. Se sazona.

3 Durante la cocción se añade un vaso de agua fría dos o tres veces.

4 Aparte, en una sartén con aceite caliente, se rehoga el resto de la cebolla picada. Cuando está dorada se añade la harina, se mezcla bien y se agrega media cucharada de pimentón. Se riega con un poco de caldo de las judías y se retira del fuego.

5 Seguidamente, se pasa el sofrito por el chino y se vierte en la olla unos minutos antes de que finalice la cocción de las judías.

* Si se utiliza la olla a presión, el plato se prepara en una hora.

Lentejas estofadas

👤	**4 personas**
🕐	**120 minutos**
👨‍🍳	**Fácil**
$	**Económico**
⚖	**340 calorías**
🍾	**Campo de Borja**

500 g de lentejas
250 g de panceta
150 g de chorizo
2 cebollas medianas
2 dientes de ajo
1 zanahoria
1 hoja de laurel
Pimentón
Sal
Aceite de oliva

1 La noche anterior se ponen a remojo las lentejas.

2 Se escurren y se colocan en una olla con agua, con la zanahoria troceada, una cebolla partida en cuartos, los ajos, el chorizo, la panceta y el laurel. Se tapa y se cuece durante hora y media a fuego lento.

3 Se calienta el aceite en una sartén y se rehoga una cebolla picada y media cucharada de pimentón. Se incorpora el sofrito a la olla, se sala y se deja cocer 5 minutos.

Olla podrida

👤	**4 personas**
🕐	**120 minutos**
👨‍🍳	**Difícil**
$	**Medio**
⚖	**300 calorías**
🍾	**Ribera del Duero**

200 g de carne de ternera
200 g de carne magra de cerdo
100 g de pollo
100 g de chorizo
50 g de jamón
50 g de tocino
1 hueso de jamón
200 g de patatas
200 g de judías verdes
200 g de garbanzos remojados
100 g de calabaza
200 g de fideos
Sal

1 Se pone una olla al fuego con 2 l y 1/2 de agua. Cuando comience a hervir, se incorporan las carnes, el hueso de jamón y los garbanzos, y se deja que cueza durante 75 minutos, espumando de vez en cuando para obtener un caldo limpio.

2 A continuación se añaden las judías, las patatas, la calabaza troceada, el chorizo, el jamón y el tocino. Se deja al fuego durante 20 minutos.

3 Una vez que estén hechos todos los ingredientes, se cuela el caldo y se separa una parte; se cuecen en él los fideos.

4 Se sirve primero la sopa y, a continuación, en una bandeja, las carnes.

Pastel de Ankara

👤	**4 personas**
🕐	**40 minutos**
👨‍🍳	**Fácil**
$	**Económico**
⚖	**280 calorías**
🍾	**Almansa**

2 coles medianas
1 cebolla
3 huevos
100 g de tomate frito
2 ajos
Perejil
Sal y pimienta
Aceite de oliva

1 Se cuecen las coles en abundante agua con sal hasta que estén blandas; se escurren bien y se pican finamente.

2 Aparte, en una cazuela, se calienta el aceite de oliva y se sofríe la cebolla picada junto con los ajos y el perejil. Antes de que la cebolla se dore se añade la col y se deja durante 10 minutos a fuego lento.

3 A continuación, se incorporan los huevos batidos y se remueve bien.

4 Por último, se coloca en un molde de horno, previamente engrasado, y se hornea a 180° hasta que cuaje.

5 Se sirve sobre un manto de salsa de tomate.

Pastel de zanahorias con mozzarella

👤	**4 personas**
🕐	**50 minutos**
👨‍🍳	**Fácil**
$	**Económico**
⚖	**290 calorías**
🍾	**Yecla**

750 g de zanahorias
350 g de mozzarella
2 huevos
1 dl de crema de leche
50 g de mantequilla
Sal
Pimienta

1 Primeramente, se cuecen las zanahorias al vapor.

2 A continuación, se cortan en rodajas y se colocan en un molde untado con mantequilla, alternando capas de zanahoria y de mozzarella (una o dos, según el grosor). La primera y la última capa deben estar formadas por rodajas de zanahorias.

3 Aparte, se baten los dos huevos enteros; se añade la crema de leche y se salpimienta. Seguidamente, se vierte todo sobre las zanahorias.

4 Por último, se introduce el molde en el horno y se cuece durante 20 minutos a unos 220°, hasta que el pastel haya adquirido un color dorado; en ese momento, se saca del horno, se deja reposar unos minutos y se desmolda sobre una fuente de servicio.

Potaje ampurdanés

👤	**4 personas**
🕐	**120 minutos**
👨‍🍳	**Fácil**
$	**Medio**
⚖	**220 calorías**
🍾	**Priorat**

400 g de bacalao
300 g de patatas
300 g de garbanzos remojados
Espinacas
1 hueso de jamón serrano
Sal

1 Se cuecen los garbanzos con el hueso de jamón y, cuando estén tiernos, se añade el resto de los ingredientes y se deja que termine de cocer.

Potaje casero

👤	**4 personas**
🕐	**190 minutos**
👨‍🍳	**Fácil**
$	**Económico**
⚖	**280 calorías**
🍾	**Bierzo**

300 g de judías blancas cocidas
3 zanahorias
250 g de salsa de tomate
2 puerros
1/2 repollo
200 g de tocino
Perejil
Sal y pimienta

1 Se pica el tocino, las zanahorias, el puerro y el perejil.

2 Se ponen todos estos ingredientes en una olla con tres litros de agua y la salsa de tomate, y se deja que vayan cociendo durante unas dos horas a fuego lento.

3 Transcurrido este tiempo se salpimienta y se añade el repollo cortado en tiritas muy finas (puede sustituirse esta verdura por acelgas o espinacas) y las judías ya cocidas; se deja en el fuego durante 5 minutos más.

Potaje valenciano

👤	**4 personas**
🕐	**40 minutos**
👨‍🍳	**Muy fácil**
$	**Económico**
⚖️	**200 calorías**
🍾	**Binissalem**

250 g de arroz
500 g de acelgas
1 cebolla
1 dl de vino blanco
50 g de tomate triturado
1 pastilla de caldo
2 l de agua
Pimentón
Aceite de oliva
Sal

1 En una cazuela con aceite se pone a dorar, a fuego lento, la cebolla bien picada.

2 Antes de que esté totalmente dorada, se añade una cucharada de pimentón, el tomate triturado, el vino, la pastilla de caldo y dos litros de agua.

3 Cuando empiece a hervir, se incorporan las acelgas, lavadas y cortadas, y el arroz; se deja que cueza durante unos 15 o 20 minutos, y se sazona.

Puerros gratinados

👤	**4 personas**
🕐	**45 minutos**
👨‍🍳	**Fácil**
$	**Económico**
⚖️	**260 calorías**
🍾	**Terra Alta**

1 kg y 1/2 de puerros
50 g de mantequilla
Salsa bechamel
Queso rallado
Sal y pimienta

1 Se limpian bien los puerros, y se eliminan las partes más verdes.

2 Se cortan en sentido longitudinal y se colocan en una olla con agua salada hirviendo, de forma que queden totalmente cubiertos. Se dejan durante 30 minutos.

3 Una vez hervidos, se escurren bien y se colocan en una fuente de horno, untada con mantequilla y cubiertos con la salsa bechamel; se espolvorean con abundante queso rallado. Se salpimienta.

4 Por último, se introducen en el horno precalentado a 220° y se gratinan.

Puré de garbanzos

👤	**4 personas**
🕐	**20 minutos**
👨‍🍳	**Fácil**
$	**Económico**
⚖	**300 calorías**
🍾	**Cariñena**

250 g de garbanzos cocidos (pueden ser
sobras de un cocido)
1 l y 1/2 de caldo de verduras
2 puerros
Pimentón
Sal
Aceite de oliva
Menta o perejil

1 Se calienta el aceite en una sartén, y se rehoga el puerro bien limpio y cortado en rodajas; cuando esté dorado, se añade una taza de caldo y se deja que cueza unos 10 minutos.

2 Se retira el puerro y se pasa por el pasapurés junto con los garbanzos; se va incorporando el caldo, para que no se reseque en exceso. Se sazona.

3 Por último, se sirve en pequeñas ensaladeras, extendido en capas finas y con pimentón (dulce o picante, al gusto) espolvoreado por encima y un chorrito de aceite; se decora con una hoja de menta o perejil. También puede acompañarse de tostadas.

Ratatouille estilo Niza

👤	**4 personas**
🕐	**40 minutos**
👨‍🍳	**Fácil**
$	**Económico**
⚖	**230 calorías**
🍾	**Méntrida**

750 g de calabacines
750 g de tomates
4 pimientos
3 cebollas
2 dientes de ajo
1 berenjena
Sal
Aceite de oliva

1 Se pelan los ajos y las cebollas, se cortan en rodajas finas y se sofríen. Cuando estén dorados, se incorporan los pimientos y la berenjena sin pelar, bien lavados y cortados en dados. Se remueve constantemente, para que no se peguen las verduras. Se sazona.

2 Transcurridos unos 15 minutos, se agregan los tomates cortados en dados y se deja que cueza todo durante otros 10 minutos.

3 Seguidamente, se añaden los calabacines, pelados y cortados en dados, y se mantiene el guiso en el fuego hasta que el agua que desprenden las hortalizas se haya evaporado por completo.

* Se puede espolvorear con perejil picado antes de servir.

Rollo de acelgas

👤	**4 personas**
🕐	**100 minutos**
👨‍🍳	**Fácil**
$	**Económico**
⚖️	**320 calorías**
🍾	**Costers del Segre**

1 kg de acelgas
250 g de requesón
200 g de harina
100 g de mantequilla
50 g de queso rallado
2 huevos
Salvia
Pimienta
Sal

1 Se cuecen las acelgas y luego se rehogan con una cucharada de mantequilla.

2 Se añade el requesón, el queso rallado, los huevos, la pimienta y la sal.

3 Para preparar la masa, se mezcla la harina con el agua, la mantequilla y la sal; se trabaja pacientemente y se extiende una lámina rectangular de unos 25 × 50 cm.

4 Se pone el relleno sobre la lámina de masa, que luego se enrolla y se envuelve en un paño; se atan los extremos, y se cuece. Luego se retira el paño y se corta el rollo en rodajas.

5 Para finalizar, se colocan las rodajas en una bandeja de horno untada con mantequilla, se espolvorea por encima la salvia y el queso rallado y se gratina a 180°.

Setas a la genovesa

👤	**4 personas**
🕐	**55 minutos**
👨‍🍳	**Fácil**
$	**Económico**
⚖️	**300 calorías**
🍾	**Bullas**

800 g de patatas
500 g de setas
150 g de tomates maduros
1 diente de ajo
Orégano
Perejil picado
Sal y pimienta
Aceite de oliva

1 Se lavan y se cuecen las patatas en una olla a presión durante 10 minutos. A continuación, se pelan y se cortan en rodajas. Seguidamente, se limpian con un paño las setas, se separan los sombreros y se cortan en láminas los tallos.

2 En una fuente de horno untada con aceite se dispone una capa de patatas y se cubre con agua, aromatizando por encima con el ajo y el perejil picados, el orégano, la pimienta y la sal.

3 Se forma otra capa con las setas y los tomates cortados en rodajas, y se colocan por encima los sombreros. Se aromatiza como en el paso anterior, y se añade un chorrito de aceite. Se hornea durante unos 20 minutos a 180°.

4 A la mitad de la cocción se da la vuelta a los sombreros para que se doren.

Segundos platos

Carnes

Aves y caza

Pescado y marisco

Huevos

Carnes

La carne constituye una de las fuentes más importantes de proteínas para el ser humano. Es importante tener en cuenta que cada pieza de carne tiene una aplicación determinada, y por ello no es necesario comprar siempre carne de primera clase para todos los guisos. Un plato preparado de forma adecuada con carne de segunda o de tercera puede resultar igual de exquisito y nutritivo, además de resultar más económico.

La carne de vacuno contiene alrededor de un 20 % de proteínas, y 100 gramos de ternera tienen entre 180 y 200 calorías. El cordero aporta un 18 % de proteínas y casi un 30 % de grasa, por lo que su valor energético aumenta a unas 300-350 calorías. El cerdo tiene un valor energético más alto (250-470 calorías), y contiene calcio y vitamina B.

Ajillo moruno

👤	**4 personas**
🕐	**50 minutos**
👨‍🍳	**Fácil**
$	**Medio**
⚖️	**340 calorías**
🍾	**Navarra**

750 g de carne (ternera, cerdo, etc.)
1 docena de almendras
3 ajos
1 rama de canela
2 rebanadas de pan del día anterior
Pimienta en grano
Pimentón
1 clavo de especia
Cominos
Aceite de oliva
Sal

1 Se calienta el aceite en una cazuela, y se fríen las almendras y el pan seco. Se reservan y en el mismo aceite se fríe la carne troceada.

2 Mientras, en un mortero, se majan unos granos de pimienta, los ajos pelados, el clavo, los cominos, la canela, las almendras y el pan. Cuando la masa empiece a tomar consistencia se diluye con un poco de agua.

3 En el momento en que la carne esté dorada se le echa una cucharadita de pimentón (dulce o picante al gusto), se remueve bien y se incorpora el majado, se añaden dos vasos de agua y la sal. Se tapa y se cuece a fuego lento entre 20 y 40 minutos, dependiendo de la carne escogida para elaborar el plato.

Buey en adobo

👤	**4 personas**
🕐	**120 min y 12 h de reposo**
👨‍🍳	**Fácil**
$	**Medio**
⚖️	**380 calorías**
🍾	**Rioja**

1 kg de morcillo de buey
100 g de panceta
6 zanahorias
3 dientes de ajo
1 nabo
1 cebolla
12 cebollitas
1/4 l de vino
Perejil
Tomillo
Laurel
Nuez moscada
Sal
Pimienta
Aceite de oliva

1 Se corta la carne en tacos de unos 25 g, que se van mechando con la panceta cortada en tiras finas; seguidamente, se colocan en un recipiente de barro y se les añade una zanahoria, el nabo y la cebolla cortados en juliana; se agrega el aceite, la mitad del vino, un ajo, una rama de tomillo y una hoja de laurel y se tapa. Se deja en adobo durante unas 12 horas.

2 Transcurrido este tiempo, se coloca la carne en una cazuela con un chorro de aceite de oliva y se rehoga hasta que esté dorada; en ese momento, se añade el resto del vino, dos ajos, una pizca de nuez moscada, una hoja de laurel, una rama de perejil picada y el resto de las zanahorias cortadas en rodajas gruesas; se salpimienta, se tapa la cazuela y se pone a cocer a fuego lento durante unas tres horas.

3 Treinta minutos antes de finalizar la cocción se incorporan las cebollitas, que previamente se habrán rehogado. Se sirve la carne adornada con las cebollitas y la zanahoria y regada con la salsa colada.

Carbonada

👤	**4 personas**
🕐	**140 minutos**
👨‍🍳	**Fácil**
$	**Medio**
⚖️	**400 calorías**
🍶	**Ribera del Duero**

1 kg de filetes de ternera
1 kg de patatas
500 g de cebollas
25 g de mantequilla
12 cl de cerveza
Harina
Tomillo
Perejil
Laurel
Sal
Pimienta
Aceite de oliva

1 Se salpimientan los filetes, y se doran en el aceite caliente; se reservan en un plato.

2 En el mismo aceite se sofríen las cebollas cortadas en rodajas finas, y se sazonan una vez que estén fritas.

3 En una fuente de horno se coloca una capa de cebollas, otra de carne y así

sucesivamente hasta terminar con los ingredientes. En la misma sartén donde se ha frito la carne se funde la mantequilla y se dora una cucharada de harina a la que se añadirá medio vaso de agua y la cerveza; se deja que hierva, y en ese momento se vierte sobre la fuente de horno.

4 Por último, se incorpora un ramillete compuesto por las hierbas aromáticas señaladas y se hornea durante dos horas a 160°. Se sirve con las patatas enteras y cocidas al vapor, espolvoreadas con perejil picado.

Carne con salsa de granada

👤	**4 personas**
🕐	**90 minutos**
👨‍🍳	**Fácil**
$	**Económico**
⚖️	**420 calorías**
🍶	**La Mancha**

1 kg de lomo de cerdo
1 cebolla grande
2 tomates maduros medianos
1 granada
20 g de manteca de cerdo
Sal

1 Se pelan y se trocean la cebolla y los tomates; se pela también la granada, se le retira la piel amarilla y se desgrana.

2 Seguidamente, se coloca la manteca de cerdo en una cazuela al fuego y se dora en ella el lomo; se retira y se reserva.

3 En la misma manteca, se rehoga la cebolla y, cuando empiece a dorarse, se incorpora el tomate; transcurridos unos 5 minutos se añade la granada y el lomo que se ha reservado.

4 Seguidamente, se agregan dos vasos de agua, un poco de sal, se tapa la cazuela y se deja que cueza a fuego lento durante una hora aproximadamente.

5 Por último, se sirve la carne cortada en rodajas, y se vierte la salsa sobre ella.

Cerdo guisado con pimienta

👤	**4 personas**
🕐	**60 minutos**
👨‍🍳	**Fácil**
$	**Económico**
⚖	**410 calorías**
🍶	**Campo de Borja**

600 g de lomo de cerdo
3 cebollas pequeñas
2 puerros
1/2 kg de maíz dulce
2 pimientos
Pimentón dulce
10 dl de caldo de carne
Sal
Salsa de soja
Perejil
Aceite de oliva

1 En primer lugar, se corta el lomo de cerdo en trozos pequeños, que se van friendo en una cazuela con aceite de oliva; seguidamente, se sazonan con la sal y el pimentón.

2 A continuación, se pela y se corta en rodajas finas la cebolla y el puerro; se doran estos ingredientes en la cazuela con el aceite que ha sobrado de preparar la carne.

3 Se incorpora de nuevo la carne, se agrega el caldo y una cucharada de salsa de soja, y se deja que cueza a fuego suave durante 5 minutos.

4 Seguidamente, se añade el maíz y los pimientos cortados en juliana; se mantiene en el fuego durante 10 minutos, y se agrega más caldo si es necesario. Se espolvorea con perejil antes de servir.

* El plato se puede acompañar con arroz blanco.

Cevapcici

👤	**4 personas**
🕐	**30 minutos**
👨‍🍳	**Fácil**
$	**Medio**
⚖️	**460 calorías**
🍾	**Calatayud**

200 g de carne de cordero picada
200 g de carne de cerdo picada
100 g de carne de pollo picada
3 dientes de ajo
2 pimientos verdes
1 cebolla
Laurel
Pimienta negra en grano
Sal
Aceite de oliva

1 Se pelan los ajos y se pican muy finamente.

2 Seguidamente, se mezclan las distintas carnes, se les añade el ajo picado, la sal y la pimienta (que previamente se habrán machacado en un mortero) y se amasa de nuevo.

3 A continuación, se forman albóndigas de un tamaño medio y se ensartan en pinchos para carne, alternando cada albóndiga con una hoja de laurel y un trozo de pimiento verde.

4 Por último, se rocían los pinchos con un poco de aceite y se asan a la brasa (o en barbacoa), girándolos de vez en cuando para que se hagan bien.

* Se sirven acompañados de cebolla cruda cortada en aros.

Cordero al curry

👤	**4 personas**
🕐	**90 minutos**
👨‍🍳	**Fácil**
$	**Medio**
⚖️	**380 calorías**
🍾	**Cariñena**

750 g de carne de cordero
2 cebollas pequeñas
3 dientes de ajo
250 g de salsa de tomate
2 l de caldo de carne
1 l de yogur
3 rodajas de piña natural
25 g de mantequilla
Sal
Pimienta
Curry en polvo
Jengibre
Aceite de oliva

1 En primer lugar, se corta la carne en dados y se dora en una cazuela con aceite caliente y los ajos. Se pela y se corta la cebolla en juliana, y se incorpora junto con el curry a la carne; se salpimienta.

2 Seguidamente, se agrega al preparado la salsa de tomate, las especias y el caldo; se deja que cueza a fuego suave durante 25 minutos, con la cazuela tapada; es necesario remover continuamente para que no se pegue y vigilar por si falta líquido.

3 Transcurrido este tiempo se añade al guiso el yogur y las tres rodajas de piña previamente fritas en la mantequilla y troceadas. Se sazona.

* Este plato suele servirse acompañado de arroz hervido.

Cordero al vino tinto

👤	**4 personas**
🕐	**100 minutos**
👨‍🍳	**Difícil**
$	**Medio**
⚖	**360 calorías**
🍾	**Almansa**

1 kg y 1/4 de espalda de cordero
100 g de panceta ahumada
2 cebollas
1 zanahoria
1 diente de ajo
1 naranja
Tomillo
Perejil
Laurel
Cilantro
Clavo
20 cl de vino tinto
8 cl de vinagre
Aceite de oliva
Sal
Pimienta blanca en grano

1 En primer lugar, se pelan las cebollas, el ajo y la zanahoria; se pican finamente y se dispone la mitad en el fondo de una bandeja. Encima se coloca la carne troceada, se salpimienta y se añade el resto de las hortalizas, el vino tinto, el vinagre, un chorro de aceite y las distintas especias. Se deja marinar en el frigorífico durante una noche o durante todo el día. Es importante dar vueltas a la carne de vez en cuando.

2 Se quita la corteza a la panceta, se corta en tiras y se fríe en una cazuela honda hasta que toma color.

3 Mientras, se cuela la marinada y se reserva. Cuando la panceta esté lista, se

incorpora la carne marinada, se sazona y se añade también el tomillo y la piel de una naranja. Se vierte la marinada por encima, se tapa la cazuela y se deja que cueza unos 90 minutos a fuego lento.

Estofado de toro

👤	**4 personas**
🕐	**100 minutos**
👨‍🍳	**Fácil**
$	**Medio**
⚖	**410 calorías**
🍾	**Navarra**

1.200 g de morcillo de toro
2 cebollas
3 dientes de ajo
2 puerros
Caldo de carne
Harina
1/2 l de vino tinto
2 patatas
Aceite de oliva
Sal y pimienta

1 En primer lugar, se pican las cebollas, los ajos y los puerros; seguidamente, se rehogan en una cazuela de barro.

2 A continuación, se corta la carne en dados grandes y se enharina; se fríe en una sartén con aceite bien caliente.

3 Una vez frita, se incorporan las verduras rehogadas, el vino tinto y el caldo de carne, de manera que los ingredientes queden totalmente cubiertos; se deja que cuezan a fuego lento durante una hora y cuarto aproximadamente.

4 Transcurrido este tiempo, se incorporan las patatas (que previamente habremos dorado) al estofado y se deja que cueza todo a fuego lento durante unos 5 minutos más. Se salpimienta.

Fricandó

👤	**4 personas**
🕐	**60 minutos**
👨‍🍳	**Fácil**
$	**Medio**
⚖️	**420 calorías**
🍾	**Toro**

1 kg de carne de ternera
600 g de setas secas
250 g de tomates maduros
200 g de cebolla
1 diente de ajo
1 hoja de laurel
Harina
Perejil
3 dl de vino blanco
Sal
Pimienta
Aceite de oliva

1 Se ponen a remojo las setas la noche anterior.

2 Se trocea la carne, se pasa por harina y se dora en una cazuela con aceite caliente; se reserva. A continuación, en ese mismo aceite se sofríen las cebollas y los tomates, pelados y picados finamente, y cuando estén a punto se les agrega el vino, el laurel y la carne. Se salpimienta todo, se tapa y se cuece a fuego lento durante aproximadamente 30 minutos.

3 Transcurrido este tiempo, se incorporan las setas; mientras, en un mortero, se machaca un diente de ajo y el perejil picado, y se incorpora también a la cazuela. Se deja que se siga haciendo a fuego lento otros 20 minutos.

Guisado de cordero a la turca

👤	**4 personas**
🕐	**180 minutos**
👨‍🍳	**Difícil**
$	**Alto**
⚖️	**420 calorías**
🍾	**Rioja**

1 kg y 1/4 de espalda de cordero
150 g de puré de tomate
150 g de judías blancas
6 patatas
6 cebollas
6 zanahorias
4 dientes de ajo
2 pimientos
1 limón
50 g de mantequilla
25 g de mejorana
Laurel
Sal
Pimienta en grano

1 La noche anterior, se ponen a remojo las judías en agua con sal.

2 Se quita la grasa al cordero y se trocea; se reservan los huesos. Seguidamente, se salpimientan los trozos y se fríen en la mantequilla a fuego lento. Es fundamental para el éxito del plato que no se fría la carne de golpe, sino que se haga en tres o cuatro veces.

3 A continuación, se pica finamente la cebolla y los ajos, y se fríen en la misma mantequilla que se ha utilizado para el cordero. En una cazuela grande, se coloca el cordero, y se le añade la cebolla con los ajos, el puré de tomate, las judías blancas escurridas, las distintas especias, así como las zanahorias y el limón cortados en rodajas finas; se agrega medio litro de agua y se tapa; se deja que cueza durante 45 minutos a fuego lento.

4 Por último, se añaden las patatas peladas y cortadas y los pimientos troceados; se deja que cueza otros 30 minutos a fuego lento, se rectifica la sal y se comprueba siempre que el guiso tenga la suficiente cantidad de agua (en caso contrario, se añade la necesaria).

* El guiso se puede servir acompañado de arroz blanco hervido.

Hojas de parra rellenas a la griega

🧍	**4 personas**
🕐	**90 minutos**
🍳	**Difícil**
$	**Económico**
⚖️	**390 calorías**
🍾	**Bullas**

10 hojas de parra nueva
250 g de carne de cordero
100 g de arroz hervido
3 huevos
3 limones
2 cebollas
Perejil
Menta fresca
Sal
Pimienta
Aceite de oliva

1 Para la preparación de este plato típico de la cocina griega, se quita el tallo a las hojas de parra, se limpian bien y se escaldan durante 5 minutos en agua hirviendo con sal.

2 Se pican muy finamente la carne, las cebollas, el perejil y la menta; se mezcla todo y se rehoga en una cazuela con aceite caliente, se salpimienta y se incorpora también el zumo y la piel de los limones. Transcurridos 5 minutos de cocción, se agrega el arroz y dos vasos de agua y se mantiene a fuego lento hasta que el arroz esté cocido; en este momento, se retira la piel de los limones y se deja enfriar.

3 Para rellenar las hojas, se colocan sobre una superficie plana, con las nervaduras hacia arriba. Se pone en el centro una cucharada de relleno y se envuelve de la siguiente manera: se doblan los dos extremos hacia el centro y se enrolla, partiendo de la base hacia la punta, de manera que quede compacta.

4 Se colocan las hojas rellenas en una cacerola mediana (es muy importante que queden unas encima de otras) junto con unas hojas de menta y perejil, un par de trozos de piel de limón, una cucharada de aceite de oliva y dos vasos de agua; se cuece a fuego muy lento durante unos 40 minutos.

5 Para finalizar, se prepara la salsa típica *avgolemonó*: se baten los huevos, se les añade el zumo de un limón y un toque de ralladura de piel del limón. Se bate de nuevo hasta que se mezcle bien y adquiera consistencia. Se sirven templadas.

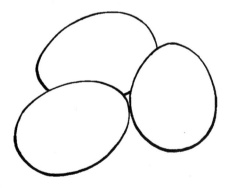

Pastel de foie-gras

👤	**4 personas**
🕐	**120 min y 1 día de reposo**
🍳	**Media**
$	**Medio**
⚖	**450 calorías**
🍾	**Valle de Monterrey**

250 g de hígado de cerdo
250 g de carne magra de cerdo
250 g de tocino
250 g de telilla de cerdo
2 trufas
2 huevos
15 cl de coñac
1 hoja de laurel
Sal
Pimienta

1 El primer paso consiste en picar el hígado, la carne magra y el tocino. Seguidamente, se añaden las trufas, cortadas en trozos pequeños, el coñac, el laurel y los huevos batidos. Se salpimienta.

2 A continuación, se forra un molde con la telilla de cerdo y se rellena con la preparación; se tapa con la misma telilla.

3 Se pone el molde al baño maría durante 90 minutos. El pastel estará completamente cocido cuando, al pincharlo con una aguja, esta salga seca.

4 Por último, se le coloca algo de peso encima para prensarlo bien y se deja reposar durante 24 horas.

Tajín El Bargoug

👤	**4 personas**
🕐	**50 minutos**
👩‍🍳	**Media**
$	**Medio**
⚖️	**430 calorías**
🍾	**Valdepeñas**

800 g de carne de cordero
400 g de ciruelas pasas
200 g de almendras
50 g de azúcar
20 g de miel
50 g de mantequilla
Canela en polvo
Laurel
Nuez moscada
Azafrán
10 g de jengibre
20 g de semillas de sésamo
Aceite de oliva
Pimienta
Sal

1 Se trocea la carne de cordero; mientras, se calienta un litro de agua y, cuando rompe a hervir, se incorporan las ciruelas; se retira del fuego y se deja reposar entre 10 y 15 minutos.

2 A continuación, se diluye el azafrán en medio vaso de agua y una cucharada sopera de aceite. Se derrite la mantequilla en la cazuela de barro (tajín), se dora la carne y se le agrega el azafrán diluido; se sazona con la sal, la nuez moscada, la pimienta y el jengibre. Se añade el laurel y un vaso de agua, se tapa y se cuece unos 25 minutos a fuego lento.

3 Entretanto, se escurren las ciruelas y se colocan en una sartén junto con las almendras, el azúcar, la miel y una cucharadita de canela. Cuando comienza a espesar, se añade un vaso de agua y se remueve bien.

4 Por último, se incorpora el preparado a la cazuela de carne y se deja al fuego 8 minutos más. Transcurrido este tiempo, se espolvorean las semillas de sésamo y una cucharada de canela en polvo por encima de la carne. Se deja reposar de 3 a 5 minutos y se sirve.

Ternera a la valenciana

👤	**4 personas**
🕐	**75 minutos**
👩‍🍳	**Difícil**
$	**Medio**
⚖️	**410 calorías**
🍾	**Almansa**

1 kg de espalda o falda de ternera
3 lonchas de panceta
3 naranjas
25 g de harina
25 g de azúcar
50 g de mantequilla
1 dl de vino blanco
Aceite de oliva
Sal
Pimienta

1 Se enrolla la carne, envolviéndola con la panceta, y se ata. Cuando esté lista, se coloca en una fuente refractaria, se unta con la mantequilla fundida, se sazona y se le echa un chorrito de aceite. Seguidamente se hornea a 200° durante aproximadamente 75 minutos.

2 Mientras, se pelan las naranjas; se corta la piel en juliana y se coloca en una cacerola con agua hirviendo durante 5 minutos; se retira del fuego y se cuela; se reserva el agua de la cocción. Dos de las naranjas se cortan en rodajas, y la otra se exprime.

3 A continuación se calienta el zumo y se le añaden 6 cucharadas del agua de cocción que habíamos reservado. Se añade el azúcar y, cuando alcanza el punto de ebullición, se retira del fuego y se incorporan la harina disuelta en el vino y las pieles de naranja.

4 Se calienta de nuevo la mezcla, se incorporan las rodajas de naranja y se deja que cueza todo durante 2 minutos. Se sirve la carne cortada en rodajas con la salsa por encima.

Aves y caza

Las ventajas que ofrecen los distintos tipos de carne de ave que se encuentran en el mercado son, fundamentalmente, el sabor y la textura de la carne, el color blanquecino, el escaso aporte de grasas y la gran cantidad de proteínas que contienen.

La carne de caza tiene valores nutritivos similares a los de la carne de los animales considerados domésticos, y la diferencia más importante radica en que es una carne más rica en sales minerales y más pobre en grasas.

CORDERO AL HORNO CON MOSTAZA

1 kg de cordero, 800 g de patatas, salvia, romero, aceite de oliva, 6 dientes de ajo, mostaza antigua, sal, pimienta
Una vez salpimentada la carne, dispóngala en una fuente de horno. Maje los ajos con las hierbas, 2 cucharadas de mostaza y el aceite, y unte bien con esta mezcla la carne. Pele y corte las patatas en trozos irregulares, sazónelas y distribúyalas alrededor del cordero. Lleve la fuente al horno durante una hora, a una temperatura de 180°. Remueva de vez en cuando las patatas y la carne, para que quede bien dorada por todas partes y se impregne con el jugo de cocción.

POLLO ASADO

1 pollo grande, 4 dientes de ajo, 3 cucharadas de aceite de oliva, sal, pimienta
Maje bien los ajos en un mortero con un poco de sal y el aceite. Unte con la pasta obtenida el pollo, por dentro y por fuera; déjelo reposar en el frigorífico durante dos horas. Transcurrido este tiempo, introduzca el pollo en el horno a 160° durante una hora aproximadamente, dándole vueltas de vez en cuando para que se haga de forma uniforme por todos los lados. Sírvalo con una guarnición de verduras, patatas fritas o ensalada al gusto.

BROCHETAS DE GAMBAS

12 gambas, 1 pimiento verde, 1 pimiento amarillo, el zumo de 2 limones, 1 calabacín, ½ cebolla, sal, pimienta, 4 cucharadas de aceite de oliva virgen

Ponga a macerar las gambas con el zumo de limón y el aceite durante 30 minutos. Corte los pimientos, la cebolla y el calabacín en trozos no demasiado grandes ni gruesos. Inserte en las brochetas las gambas y las verduras alternándolas, salpimiente y dispóngalas en una plancha hasta que se hagan bien por los dos lados.

MEJILLONES AL VAPOR

1 kg de mejillones, 1 limón, sal, perejil picado
Limpie bien los mejillones; a continuación, dispóngalos en una cazuela con un poco de agua, y llévelos al fuego 2-3 minutos, removiendo hasta que se abran y estén hechos (retire los que no se abran). Coloque los mejillones en una fuente de servir, y rocíelos con el zumo de limón. Espolvoree el perejil picado antes de servir.

Ciervo al aguardiente

👤	**4 personas**
🕐	**100 min y 24 h de adobo**
👨‍🍳	**Media**
$	**Alto**
⚖	**420 calorías**
🍾	**Bierzo**

1 kg de venado
200 g de jamón serrano
2 dl de vino blanco
1 dl de aguardiente
Harina
Perejil
Tomillo
Laurel
Nuez moscada
Pimienta
Sal
Aceite de oliva

1 Se parte la carne en trozos grandes; se salpimienta y se coloca en una cazuela de barro; se rocía con el aguardiente y después con el vino, y se le añaden las hierbas y unas raspaduras de nuez moscada. Se deja en adobo durante unas 24 horas.

2 Se escurre, se enharina y se coloca en una cazuela en la cual se habrá puesto a freír el jamón troceado. Se rehoga la carne y se le añade parte del jugo del adobo; se mete en el horno a 180° durante 90 minutos.

3 De vez en cuando se da vuelta a los trozos y se añade el resto del jugo del adobo; se rectifican la sal y la pimienta.

* Este plato se sirve bien caliente con toda su salsa, y se puede acompañar de patatas fritas o de un puré de patatas.

Conejo con aceitunas

👤	**4 personas**
🕐	**110 minutos**
👨‍🍳	**Difícil**
$	**Económico**
⚖	**370 calorías**
🍾	**Cariñena**

1 conejo
1 cebolla
1 zanahoria
2 tallos de apio
300 g de tomates
150 g de aceitunas verdes
5 cl de brandy
Perejil
Aceite de oliva
Sal
Pimienta

1 Se trocea el conejo, se sazona y se pone en una cazuela honda con aceite. Se rehoga y, cuando esté dorado, se incorpora una picada de zanahoria, cebolla, apio y perejil; se va removiendo y se deja hasta que las hortalizas estén listas. En ese momento, se añade el brandy.

2 A continuación, se pelan y se rallan los tomates, y se pican las aceitunas.

3 Se mezcla todo y se incorpora a la cazuela.

4 Por último, se tapa y se deja cocer durante unos 90 minutos.

Escabeche de codorniz

👤	**4 personas**
🕐	**60 minutos**
👨‍🍳	**Media**
$	**Medio**
⚖	**390 calorías**
🍾	**Somontano**

8 codornices
2 dientes de ajo
1 zanahoria
1 cebolla
1 rama de apio
Tomillo
2 dl de caldo
1 dl de vinagre
Sal y pimienta
Aceite de oliva

1 Se limpian bien las codornices y se chamuscan para eliminar los restos de plumas. Se atan.

2 A continuación, se rehoga en el aceite la cebolla cortada en rodajas, junto con los ajos sin pelar, la zanahoria (también en rodajas), el apio troceado, una rama de tomillo, la sal y la pimienta (preferiblemente en grano).

3 Se añade el caldo y se deja que cueza durante unos 10 minutos; en ese momento, se agrega el vinagre, se lleva a ebullición y se incorporan las codornices, que deben quedar cubiertas. Se tapa la cazuela y se dejan a fuego suave durante 30 minutos.

4 Finalmente, se reservan las codornices en su caldo hasta que se enfríen y se sirven sin la cuerda, rociadas con la salsa y acompañadas de las verduras.

Estofado de jabalí

👤	**4 personas**
🕐	**210 min y 2 días de adobo**
👨‍🍳	**Media**
$	**Medio**
⚖	**460 calorías**
🍾	**Alella**

1 kg de jabalí
200 g de jamón serrano
250 g de champiñones
12 cebollitas
2 zanahorias
2 dientes de ajo
1 cebolla grande
1 naranja
1 puerro
2 dl de jerez seco
Laurel
Tomillo
Perejil
Azúcar moreno
Sal y pimienta
Aceite de oliva

1 Se pone a hervir un litro de agua con una cucharada de azúcar y una de sal, el puerro, las zanahorias cortadas en rodajas finas, unos granos de pimienta y un ramito preparado con las hierbas, durante un cuarto de hora; se deja enfriar.

2 Mientras tanto, se corta la carne de jabalí en trozos más bien grandes, se colocan en una cazuela de barro y se vierte sobre ellos el preparado del paso anterior, al que se añadirá también medio vaso de jerez. Se deja en adobo durante 2 días.

3 Transcurrido este tiempo, se saca la carne, se escurre bien y se seca con un paño. Se fríe el jamón cortado en trozos regulares en una cazuela y se incorpora la carne y las cebollitas peladas y enteras. Se rehoga todo y se añade la cebolla picada, así como el puerro y las zanahorias del adobo; se salpimienta, se tapa y se deja estofar a fuego lento. Cuando empieza a hervir, se rocía con el resto del jerez.

4 Aparte, en un mortero se machacan los ajos junto con el perejil y se diluye la mezcla con el jugo de la naranja; se agrega este majado al guiso y se incorporan también los champiñones limpios y troceados. La cocción debe continuar hasta que la carne esté tierna (unas 3 horas). Si es necesario se puede añadir jugo de la maceración para que la carne no se reseque.

Gallina en pepitoria

👤	**4 personas**
🕐	**120 minutos**
👨‍🍳	**Fácil**
$	**Medio**
⚖️	**440 calorías**
🍾	**Conca de Barberà**

1 gallina joven
100 g de jamón serrano
2 dl de vino blanco
12 almendras tostadas
2 huevos duros
1 cebolla
1 diente de ajo
50 g de harina
2 dl de caldo de carne
1 ramo de hierbas (perejil, laurel y tomillo)
Azafrán
Nuez moscada
Sal
Pimienta
Aceite de oliva

1 Se trocea la gallina, se salpimienta y se rehoga en una sartén con un chorro de aceite, el jamón cortado en dados, la cebolla, el ajo y las hierbas.

2 Antes de que empiece a tomar color se espolvorea la harina, se vierte el vino y el caldo y se sazona con el azafrán y la nuez moscada; se deja a fuego lento hasta que la carne esté tierna, aproximadamente unos 90 minutos.

3 Mientras tanto, en un mortero se machacan las almendras, se añaden las yemas de huevo duro y un par de cucharadas de agua. Se agrega este preparado al guiso, y se deja que continúe la cocción durante unos 15 minutos más.

Liebre casera

👤	**4 personas**
🕐	**75 minutos**
👨‍🍳	**Fácil**
$	**Medio**
⚖️	**420 calorías**
🍾	**Jumilla**

1 liebre
2 dl de vino blanco
3 dientes de ajo
Harina
Perejil
Laurel
Tomillo
Pimienta
Sal
Aceite de oliva

1 Se limpia la liebre y se trocea; se coloca en una cazuela junto con el laurel, una pizca de pimienta, dos ajos enteros, una rama de perejil, el vino blanco y una rama de tomillo, y se deja en adobo unas 4 horas.

2 Una vez transcurrido este tiempo, se sacan los trozos, se escurren bien —reservando el caldo—, se salan, se enharinan y se fríen en una sartén con aceite bien caliente hasta que queden dorados. A continuación, se ponen en la misma cazuela con el caldo del adobo.

3 En el aceite sobrante se rehogan dos cucharadas de harina y un majado de ajo y perejil, se vierte este preparado sobre la liebre y se deja que cueza lentamente hasta que esté tierna; se rectifica la sal.

* Se sirve con la salsa pasada por el chino.

Muslo de pavo con pimientos

⚊	**4 personas**
🕐	**30 minutos**
🎩	**Fácil**
$	**Económico**
⚖	**380 calorías**
🍾	**Rueda**

700 g de muslos de pavo
100 g de salsa de tomate
3 pimientos
2 cebollas
Perejil
Sal
Aceite de oliva

1 Se cuece la carne al vapor.

2 Mientras, se pelan las cebollas, se pican y se doran en una cazuela con aceite. Cuando estén doradas, se añade la salsa de tomate y los pimientos cortados en tiras finas.

3 Se deja que cueza unos 15 minutos, y luego se agrega la sal, el perejil picado y un poco de agua si es necesario; se vierte el sofrito por encima del pavo.

* Puede servirse con unas patatas enteras y cocidas al vapor, espolvoreadas con perejil picado y con una cucharada de mayonesa por encima.

Pastel de pollo

⚊	**4 personas**
🕐	**120 minutos**
🎩	**Difícil**
$	**Económico**
⚖	**410 calorías**
🍾	**Cigales**

Para la masa:
400 g de harina
100 g de manteca de cerdo
1 huevo
1 limón
40 g de azúcar
Agua
Sal

Para el relleno:
500 g de pollo
1 zanahoria
1 cebolla
1 tomate
1 huevo duro
1 huevo
Sal

1 Para preparar la masa, se coloca la harina en un recipiente y se hace un hueco en el centro, en el que se coloca el huevo, la manteca, el azúcar, la ralladura del limón, dos cucharadas soperas de agua y sal. Se amasa todo bien y se deja reposar.

2 Mientras, se cuece el pollo con un poco de agua, la zanahoria, la cebolla, el tomate y sal, durante unos 20 minutos. Una vez cocido, se cuela, se reserva el caldo y se corta el pollo en trocitos pequeños. Se trocea también el huevo duro.

3 Se extiende la masa con un rodillo, de forma que quede con un grosor de medio centímetro, y se corta en dos partes: una de ellas se coloca en el fondo de un molde redondo y se pone encima el pollo troceado, 2 dl del caldo que se ha reservado y el huevo duro picado. Se tapa con la otra porción de la masa, presionando en los bordes para que quede bien cerrada la empanada, y se agujerea en el centro.

4 Por último, se pinta la superficie con huevo batido y se introduce en el horno precalentado a 200° durante 60 minutos.

Pato a la naranja

👤	**4 personas**
🕐	**120 minutos**
🍳	**Media**
$	**Alto**
⚖️	**380 calorías**
🍾	**Ribera del Duero**

1 pato
2 naranjas
1 cebolla
2 dl de vino blanco
1 hoja de salvia
1 pastilla de caldo concentrado
Sal
Pimienta
Perejil
Aceite de oliva

1 Una vez limpio el pato, se cortan las puntas de los muslos y de las alas y se trocea. En una cazuela se disponen los menudillos, la cebolla cortada muy fina, la hoja de salvia y la piel de una naranja cortada en juliana. Se vierten dos cucharadas de aceite, se salpimienta y se inicia la cocción a fuego medio.

2 Cuando el pato esté dorado se incorpora el vino y se deja que se evapore, momento en el que se añade una cucharada de agua caliente en la que previamente se habrá disuelto el cubito de caldo.

3 Se termina la cocción a fuego suave, hasta que el pato esté tierno y en su punto; en ese momento se retira de la cazuela y se reserva, manteniéndolo caliente.

4 El fondo de la cocción se pasa por un chino y se le añade un poco de agua. Se vuelve a colocar en una cazuela y se añade la pulpa de la naranja sin la pielecilla blanca, sin semillas y cortada en trozos muy pequeños. Se cuece durante unos minutos y por último se vierte esta salsa por encima del pato.

* Se decora la fuente con los gajos de la otra naranja y unas ramitas de perejil.

Pato con peras

👤	**4 personas**
🕐	**60 minutos**
🍳	**Fácil**
$	**Alto**
⚖	**380 calorías**
🍶	**Rioja**

1 pato
8 peras
2 tomates
1 cebolla
1/4 l de agua
50 g de almendras
2 dientes de ajo
1 galleta tipo maría
100 g de manteca de cerdo
Sal

1 Para elaborar este plato de la gastronomía ampurdanesa se limpia, se trocea y se sazona el pato. Por otra parte, se pelan y se trocean la cebolla y los tomates.

2 En una cazuela a fuego lento se derrite la manteca de cerdo y se dora la carne; se reserva.

3 En la misma cazuela, se sofríe la cebolla; seguidamente, se incorpora el to-

mate. Se mantiene a fuego medio unos instantes y se agregan los trozos de pato que se han reservado.

4 A continuación, se añade el agua caliente al guiso, se tapa y se cuece a fuego lento durante 45 minutos. Durante este tiempo se pelan las peras, se dejan enteras y se incorporan al guiso.

5 Mientras, en un mortero, se pican los ajos, las almendras y la galleta hasta obtener una pasta fina. Se incorporan al mortero un par de cucharadas de caldo para desleír la picada.

6 Por último, se pone todo en la cazuela, se rectifica la sal y se deja cocer 3 o 4 minutos más.

Pavo con manzanas

👤	**4 personas**
🕐	**120 minutos**
🍳	**Fácil**
$	**Medio**
⚖	**360 calorías**
🍶	**Méntrida**

1 pavo de 1 kg aproximadamente
100 g de panceta ahumada
4 manzanas
3 cebollas
2 zanahorias
2 dientes de ajo
1 botella de vino blanco
1 taza de caldo de carne
Mantequilla
Perejil
Sal
Pimienta
Aceite de oliva

1 Se comienza la preparación vaciando, chamuscando y troceando el pavo.

2 Aparte, se corta la panceta en dados, se pican las cebollas y las zanahorias y se majan en un mortero los ajos y el perejil.

3 Seguidamente, en una cazuela, se derrite la mantequilla, se incorpora un chorro de aceite de oliva y se ponen a cocer todos los ingredientes al mismo tiempo. Pasados unos minutos, se agrega una taza grande de caldo de carne y se salpimienta.

4 A media cocción (al cabo de una hora) se añaden las manzanas peladas, cortadas en trozos y el vino blanco; se va rociando la carne constantemente el resto del tiempo que permanece en el fuego.

* Puede servirse el plato decorado con un par de huevos duros cortados en cuartos.

Perdices mediterráneas

👤	**4 personas**
🕐	**100 minutos**
🍴	**Fácil**
$	**Medio**
⚖️	**380 calorías**
🍾	**Binissalem**

4 perdices
4 pimientos
3 zanahorias
2 puerros
2 cebollas
12 cebollitas
100 g de champiñones
1 ramillete de hierbas aromáticas
2 clavos de especia
Harina
Pimentón
Mantequilla
1/2 l de caldo
2 dl de vino blanco
1 dl de jerez seco
Ralladuras de chocolate
Sal y pimienta blanca
Aceite de oliva

1 Se colocan las perdices en una cazuela de barro untada con mantequilla, junto con los puerros, las zanahorias, los pimientos y la cebolla picados muy finos. A continuación, se salpimienta, se añaden las hierbas y se pone un poco de harina, el pimentón, una nuez de mantequilla sobre cada perdiz y un chorro de aceite; se introduce en el horno durante 30 minutos a 180°.

2 Una vez dorada la harina y el pimentón se agrega el caldo, el vaso de vino y el jerez, el chocolate, las cebollitas, los clavos y los champiñones, y se hornea nuevamente durante 60 minutos a 180°.

Pichones al ajo

👤	**4 personas**
🕐	**35 minutos**
👨‍🍳	**Fácil**
$	**Económico**
⚖	**370 calorías**
🍾	**Yecla**

2 o 4 pichones (dependiendo del tamaño)
1 cabeza de ajos
25 cl de brandy
40 cl de caldo de ave
Mantequilla
Sal
Pimienta
50 g de paté de hígado de cerdo
Aceite de oliva

1 Se doran los pichones en una cacerola en la que previamente se habrá derretido la mantequilla. A continuación, se colocan en una fuente y se hornean junto con los dientes de ajo sin pelar y distribuidos por la fuente, durante 20 minutos a 180°, y se rocían a menudo con su propio caldo para que no se resequen.

2 Por otra parte, se saltea el paté de hígado y el hígado de los pichones en la propia grasa de la cocción. Cuando esté listo, se pasa por el tamiz junto con diez ajos que previamente se habrán retirado de la fuente y pelado. Se añade el brandy y el caldo, y se salpimienta.

3 Una vez horneados los pichones, se recubren con la salsa obtenida en el paso anterior.

Pierna de corzo con aceitunas

👤	**4 personas**
🕐	**100 min y 24 h de maceración**
👨‍🍳	**Fácil**
$	**Medio**
⚖	**410 calorías**
🍾	**Rioja**

1 pierna de corzo de unos 2 kg
200 g de panceta
200 g de aceitunas
6 cebollitas
2 zanahorias
1 botella de vino tinto
1 dl de vinagre
50 g de mantequilla
4 clavos de especias
Laurel
Tomillo
Sal
Pimienta
Aceite de oliva

1 Se recubre la carne con la panceta y se pone a marinar con parte del vino, un chorro de aceite, el vinagre, las cebollitas y la zanahoria picadas muy finas, el tomillo, el laurel, los clavos, la sal y la pimienta. Esta preparación requiere una maceración de 24 horas.

2 Una vez marinada la carne se saca del recipiente, se unta con mantequilla y se hornea durante unos 90 minutos a unos 220°; se rocía de vez en cuando con la marinada para que no se reseque. Por último, a media cocción, se añade la mitad de la marinada y las aceitunas y se completa el tiempo de cocción indicado.

Pollo al ajillo

👤	**4 personas**
🕐	**45 minutos y maceración**
♨	**Fácil**
$	**Económico**
⚖	**360 calorías**
🍾	**Valle de Monterrey**

1 pollo
2 cabezas de ajos
1 dl de jerez seco
Romero
Tomillo
Laurel
Sal y pimienta
Aceite de oliva

1 Se corta el pollo en trozos más bien pequeños, se salpimientan y se disponen en un recipiente hondo; se añaden seis cucharadas de aceite, el jerez, los ajos, el tomillo, el romero y el laurel, y se deja macerar de 3 a 5 horas.

2 En una cazuela con abundante aceite caliente se fríe una cabeza de ajos y a continuación se incorpora el pollo hasta que quede bien dorado.

3 Se ponen los trozos de pollo en una fuente de servir, junto con la cabeza de ajos frita. Por otra parte, se calienta el jugo del adobo durante 5 minutos y se vierte sobre el pollo.

4 Finalmente, se sirve bien caliente.

Pollo con berenjenas

👤	**4 personas**
🕐	**75 minutos**
♨	**Fácil**
$	**Económico**
⚖	**380 calorías**
🍾	**Penedès**

1 kg de pollo
1 kg y 1/2 de berenjenas
1/2 kg de cebollas
3 dientes de ajo
2 cucharadas de miel
1 cucharada de alcaravea
Azafrán
Pimienta
Pimentón
Sal
Aceite de oliva

1 Se pelan las berenjenas, se cortan en rodajas y se colocan en un colador espolvoreadas con sal. Transcurrida una hora, se secan con papel absorbente.

2 A continuación, se trocea el pollo y se dora en una sartén. En ese mismo aceite se fríen las cebollas peladas y picadas y, cuando estén doradas, se agregan los ajos, el azafrán, la alcaravea y la miel; se salpimienta. Se añade medio litro de agua y se deja cocer para que reduzca.

3 Se calienta el horno a 180°. Mientras, se fríen las berenjenas hasta que estén doradas; se sacan y se escurren.

4 Por último, en una fuente se colocan las cebollas, las berenjenas y el pollo, se espolvorean con pimentón y se hornean unos 40 minutos.

Pollo a la sidra

⚇	**4 personas**
🕐	**45 minutos**
♔	**Fácil**
$	**Económico**
⚖	**390 calorías**
🍾	**Priorat**

1 pollo
400 g de champiñones
2 dientes de ajo
25 g de harina
2 dl de sidra
2 dl de leche
Perejil
Sal y pimienta negra
Aceite de oliva

1 Para comenzar a preparar este plato, se sala, se trocea y se fríe el pollo en una sartén; a continuación, una vez que está frito, se pasa a una cazuela de barro.

2 Seguidamente, se retira la mitad del aceite de la sartén y se coloca en otra sartén, para freír los champiñones con el perejil y los ajos picados.

3 En la primera sartén, con el aceite caliente, se dora la harina y se añade la leche y la pimienta negra.

4 A continuación, se rocía con la sidra el pollo, se agrega el contenido de las dos sartenes y se mantiene unos treinta minutos a fuego muy lento. Se deja reposar unos minutos antes de servir.

Pescado y marisco

Las proteínas del pescado son muy completas —semejantes a las de la carne de pollo o ternera— y al menos un 18 % no se alteran con los distintos procedimientos que se emplean a la hora de cocinar. Además de las proteínas aportan vitaminas A, B y D, y sales minerales, sodio, potasio, calcio y fósforo. El valor energético depende de la cantidad de grasa que contenga y la facilidad de digestión disminuye en la misma proporción en que aumenta la cantidad de grasa.

Los mariscos son también ricos en proteínas, vitaminas y sales minerales. Dentro de los mariscos se distinguen dos grupos: moluscos (mejillones, almejas, ostras, berberechos...), con concha, y crustáceos (bogavantes, langostas, cigalas, nécoras, centollos, gambas, langostinos...), con caparazón externo.

Almejas en salsa

👤	**4 personas**
🕐	**40 minutos**
👨‍🍳	**Fácil**
$	**Alto**
⚖	**320 calorías**
🍾	**Chacolí de Vizcaya**

1 kg de almejas
1 cebolla
2 dientes de ajo
3 tomates
2 dl de vino blanco seco
10 g de azúcar
Perejil
Sal
Aceite de oliva

1 Se lavan bien las almejas y se reservan.

2 En una cazuela de barro, se calienta el aceite y se fríe la cebolla muy picada; justo cuando empieza a dorarse se añaden los tomates pelados, cortados en dados.

3 Mientras, se machacan en un mortero los dientes de ajo y el perejil picado, se incorpora el majado a la sartén y se mezcla bien con cuidado para que no se queme.

4 En este momento se agregan las almejas, la sal, la pimienta, el azúcar y el vino blanco, y se deja que cueza durante 5 minutos.

* Es importante que la limpieza de las almejas se realice a fondo, ya que si quedan restos de arena el plato puede estropearse. Por otra parte, este plato admite el zumo colado de un limón y una cucharada de pan rallado que espese la salsa.

Atún sabroso

👤	**4 personas**
🕐	**25 minutos**
👨‍🍳	**Fácil**
$	**Medio**
⚖	**350 calorías**
🍾	**Somontano**

600 g de atún fresco en rodajas
1 cebolla
20 g de harina
15 cl de vino blanco seco
Laurel
Perejil
Canela en polvo
Sal
Aceite de oliva

1 En primer lugar, se sofríe en una cazuela de barro la cebolla; cuando tome color, se incorpora el perejil picado y se agrega el atún, dorándolo por ambos lados.

2 Seguidamente se sazona y se añade la harina diluida en medio vaso de agua, así como el laurel y una pizca de canela.

3 Se deja cocer a fuego muy lento unos 15 minutos, se incorpora el vino blanco y se sazona.

4 El atún estará listo cuando el alcohol se haya evaporado.

Bacalao al limón

👤	**4 personas**
🕐	**60 min y 24 h de remojo**
👨‍🍳	**Fácil**
$	**Alto**
⚖️	**350 calorías**
🍾	**Cigales**

600 g de bacalao seco
2 cebollas medianas
3 limones
Pan rallado
Aceite de oliva
Pimienta en grano

1 Se pone el bacalao a remojo 24 horas antes de su preparación, y durante este tiempo se cambia el agua tres veces.

2 Seguidamente, se cuece durante unos 8 minutos, se escurre, se le quita la piel y las espinas y se desmenuza.

3 En una cazuela se saltea la cebolla cortada en aros y se cubre con ella el fondo de una fuente; se colocan por encima unas rodajas de limón y unos granos de pimienta.

4 A continuación, se distribuye el bacalao por toda la superficie, se espolvorea con pan rallado y se introduce en el horno previamente calentado a unos 180° durante 10 minutos, hasta que esté gratinado.

5 En el momento de servir, se adorna la fuente con gajos de limón.

* Queda muy decorativo servido sobre un manto de salsa de tomate.

Bacalao «a la llauna»

👤	**4 personas**
🕐	**35 min y 24 h de remojo**
👨‍🍳	**Medio**
$	**Alto**
⚖️	**360 calorías**
🍾	**Penedès**

600 g de bacalao
250 g de tomates maduros
3 dientes de ajo
2 dl de vino blanco seco
Laurel
Pimentón
Harina
Azúcar
Perejil
Sal
Pimienta
Aceite de oliva

1 Se pone a remojo el bacalao durante 24 horas, cambiando el agua tres veces.

2 Transcurrido este tiempo, se seca y se enharina. En una sartén, se calienta el aceite y se fríen los trozos de bacalao colocándolos con la piel hacia abajo en una bandeja metálica de horno *(llauna)*.

3 Entre tanto, se pelan y se pican los tomates y los ajos. En el aceite que resta de freír el bacalao, se doran la mitad de los ajos picados con una cucharada de pimentón, el tomate y el laurel. Se fríe todo, hasta que se ha consumido el líquido; se salpimienta y se añade una pizca de azúcar.

4 A continuación, se incorpora el vino blanco en el sofrito y se deja reducir durante unos 8 minutos.

5 Seguidamente, se vierte el sofrito sobre los trozos de bacalao y se añade por encima el ajo y el perejil picado muy fino. Se hornea durante 5 minutos a 180° y se sirve caliente.

3 Para finalizar, se introduce en el horno precalentado a 180° y se cocina durante 30 minutos, rociándolo de vez en cuando con su propio jugo.

* Se sirve decorado con rodajas de limón por encima y con unas hojas de perejil.

Besugo al horno

👤	**4 personas**
🕐	**50 minutos**
👨‍🍳	**Fácil**
$	**Medio**
⚖️	**350 calorías**
🍾	**Rías Baixas**

1 besugo de 1 kg y 1/2
2 patatas grandes
2 cebollas
4 dientes de ajo
Pimienta negra en grano
Clavos de especia
2 dl de vino blanco
1 limón
Perejil
Pimienta
Sal
Aceite de oliva

1 Se pelan las patatas y las cebollas, y se cortan en rodajas. A continuación, se pelan los ajos y se pican. Se colocan las patatas, las cebollas y los ajos en el fondo de una fuente refractaria.

2 Se limpia el pescado, se sala, se rocía con el zumo del limón y se coloca sobre las patatas y las cebollas. Se pueden añadir unos granos de pimienta, unos clavos de especia y un poco más de sal. Se rocía con el aceite de oliva y el vino blanco.

Caballa a la ateniense

👤	**4 personas**
🕐	**30 minutos**
👨‍🍳	**Fácil**
$	**Económico**
⚖️	**370 calorías**
🍾	**Valdeorras**

8 caballas medianas
6 tomates
1 limón
Hinojo fresco
Perejil
Sal
Pimienta
Aceite de oliva

1 Se limpian las caballas, se rellenan con una rama de hinojo y se untan con aceite, con la ayuda de un pincel o una brocha. Se salan y se asan a fuego suave durante unos 20 minutos.

2 Se cortan los tomates en dos, se salpimientan, se untan con aceite y se asan en la parrilla sin darles la vuelta.

3 A continuación, se prepara una salsa con dos tercios de aceite y un tercio de limón, sal y pimienta, bien batidos.

4 Por último, se sirve el pescado sobre un lecho de hinojo con los tomates alrededor, la salsa por encima y espolvoreado todo con perejil picado.

Calamares rellenos

🏃	**4 personas**
🕐	**75 minutos**
👨‍🍳	**Fácil**
$	**Medio**
⚖	**390 calorías**
🍾	**Terra Alta**

12 calamares medianos
100 g de jamón serrano
2 huevos duros
1 cebolla
20 g de harina
30 cl de vino blanco seco
Pan rallado
Perejil
Pimienta
Sal
Aceite de oliva

1 Una vez limpios los calamares, se pican los tentáculos y las aletas junto con el jamón serrano; se añaden a este picadillo los huevos duros picados, el pan rallado, un par de cucharadas de perejil picado y un par de cucharadas de vino blanco; se mezclan bien todos los ingredientes.

2 En una cazuela se dora la cebolla; seguidamente se incorpora el picadillo, se mezcla bien todo, y se salpimienta.

3 Con una cuchara, se rellenan los calamares con la mezcla y se cierran con un palillo. Se colocan en una cazuela de barro con un chorro de aceite y se calientan a fuego lento hasta que cogen color; justo en ese momento se incorpora la harina, se remueve bien y se añade el vino y un vaso de agua. Se rectifica la sal y la pimienta, y se deja que cuezan durante 30 minutos a fuego suave.

Calamares en su tinta

🏃	**4 personas**
🕐	**40 minutos**
👨‍🍳	**Fácil**
$	**Medio**
⚖	**330 calorías**
🍾	**Calatayud**

1 kg y 1/2 de calamares (preferiblemente
*   medianos)*
2 cebollas
2 dientes de ajo
1 tomate
20 g de harina
Perejil
Aceite de oliva
Sal

1 Se limpian los calamares, se separan los tentáculos y se reserva la tinta. Una vez limpios, se cortan y se parten en trozos los tentáculos; se lavan bien en agua fría.

2 En una cazuela de barro, una vez que el aceite esté caliente, se rehogan las cebollas picadas y, cuando empiece a tomar color, se añade el tomate pelado, picado y sin semillas; se sofríe todo unos 5 minutos.

3 En ese momento, se incorporan los calamares y aparte, en un mortero, se machacan los ajos con un poco de perejil, se agrega el majado a la cazuela y se deja que cueza todo a fuego lento hasta que los calamares estén tiernos.

4 Se rectifica la sal y se añade la tinta (para extraerla, se coloca la bolsita en un colador fino y se presiona con la mano de un mortero). Al mismo tiempo, se tuesta la harina en una sartén y se añade a los calamares.

5 Por último, se remueve bien y se da un hervor a fuego lento para que no se pegue.

* Se puede presentar este plato acompañado de un molde de arroz blanco.

Caldereta de langosta

👤	**4 personas**
🕐	**60 minutos**
🧑‍🍳	**Difícil**
$	**Alto**
⚖️	**360 calorías**
🍾	**Ribeiro**

2 langostas medianas
2 cebollas
2 tomates
2 dientes de ajo
1 l de caldo de pescado
Laurel
Perejil
Pan de hogaza
Sal
Pimienta
Aceite de oliva

1 En primer lugar, se cuecen las langostas durante 10 minutos en un litro de agua hirviendo con sal.

2 Se pelan los ajos, las cebollas y los tomates, y se pican finamente por separado.

3 Se pica también el perejil.

4 Seguidamente, en una cazuela de barro amplia, se calienta el aceite y se sofríe la cebolla; cuando empieza a dorarse, se añaden el tomate y los ajos, y se deja que reduzca a fuego lento.

5 Se incorporan las langostas, y se vierte sobre ellas el caldo de pescado; a continuación se agrega el perejil y el laurel.

6 Se deja cocer a fuego vivo durante unos 10 minutos.

7 Se rectifica la sal y la pimienta, se baja el fuego y se mantiene unos 20 minutos más.

8 Finalmente, se tuesta el pan, cortado en rebanadas, y se pone en la mesa de manera que cada uno se sirva en su plato los trozos que desee y vierta por encima el caldo hirviendo de la caldereta con los trozos de langosta.

* Para que el plato resulte mucho más económico pueden sustituirse las langostas por una docena y media de cigalas o por 3/4 kg de mero.

Carpa al vino tinto

👤	**4 personas**
🕐	**50 minutos**
👨‍🍳	**Fácil**
$	**Medio**
⚖️	**350 calorías**
🍶	**Rueda**

1 carpa de 1 kg
2 dl de vino tinto
4 dl de caldo de pescado
25 g de harina
25 g de mantequilla
1 limón
2 clavos de especia
Canela
Azúcar
Sal
Aceite de oliva

1 Se limpia la carpa y se coloca en una cazuela con un poco de agua, sal, el vino tinto, un poco de aceite, medio limón, los dos clavos de especia, una cucharadita de azúcar y media de canela. Se cuece a fuego vivo durante 20 minutos.

2 Se reserva la carpa y, en una sartén, se calienta la mantequilla, se mezcla bien con la harina, se incorporan los clavos y el limón (ya utilizados en la cocción) y, transcurridos un par de minutos, se agrega la mezcla al caldo; se deja que cueza durante un cuarto de hora, hasta que la salsa espese.

3 Por último, en una fuente de servicio, se coloca la carpa, se vierte la salsa por encima y se decora con el medio limón restante.

Carpas rellenas al estilo israelí

👤	**4 personas**
🕐	**120 minutos**
👨‍🍳	**Difícil**
$	**Medio**
⚖️	**400 calorías**
🍶	**Almansa**

2 carpas
6 huevos
75 g de almendras
100 g de mantequilla
2 limones
1 manojo de hierbas aromáticas
1 cebolla
Perejil
Pan rallado
Nuez moscada
Harina de maíz
Sal y pimienta

1 Se limpia bien el pescado. A continuación, se abren las carpas a lo largo, se les quita la piel (es importante que no se rompa, para luego poderles dar otra vez la forma primitiva), se desmenuza la carne y se quitan las espinas.

2 Seguidamente, se prepara un caldo con las espinas, el zumo de un limón, las hierbas aromáticas y un poco de sal. Se mantiene en el fuego durante media hora y a continuación se cuela y se reserva.

3 En una cazuela, se derrite la mantequilla, se incorpora el pescado desmenuzado, el perejil picado y dos cucharadas de pan rallado. Cuando comienza a tomar color se pica la cebolla y se agrega también. Una vez que la cebolla está dorada, se echan las almendras troceadas, se sazona el guiso con las especias y la sal, se retira del fuego y se deja enfriar; se mezcla con cuatro yemas de huevo.

4 Con este preparado, se rellena la piel de las carpas y se cierra con palillos. Se calienta el caldo que estaba reservado, se introducen las carpas con cuidado para que no se rompan y se cuecen durante 20 minutos a fuego suave.

5 Por último, se prepara una salsa con el caldo sobrante, que se puede espesar con una cucharada de harina de maíz; se sazona, se incorporan las dos yemas de huevo restantes y se remueve bien. Se calienta a fuego lento, sin dejar que hierva.

6 Como toque final, se vierte la salsa sobre el pescado y se adorna con unas rodajas de limón y unas ramitas de perejil.

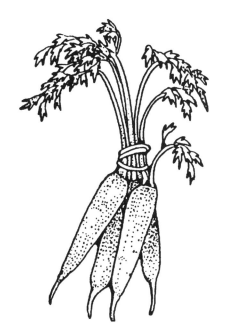

Centollo relleno

👤	**4 personas**
🕐	**110 minutos**
👨‍🍳	**Difícil**
$	**Alto**
⚖	**360 calorías**
🍾	**Rías Baixas**

2 centollos de 800 g
1 cebolla
100 g de zanahorias
1 puerro
5 cl de coñac
15 cl de vino blanco
20 g de harina
Pan rallado
Perejil
Laurel
Mantequilla
400 g de puré de tomate
Guindilla
Pimentón
Sal, aceite de oliva

1 Se pone en el fuego una cazuela con agua suficiente para que cubra los centollos; se añaden 150 g de sal por litro de agua y una hoja de laurel. Cuando el agua empieza a hervir se echa el centollo, y en el momento en que vuelve a hervir se contabilizan 10 minutos. Transcurrido este tiempo se retira la cazuela del fuego y se aguardan 10 minutos más.

2 Una vez cocido el centollo se le quitan las patas, se abre el caparazón, se separa el caldo y la materia blanca cremosa —que se reservan— y se trituran las patas para sacar la carne de su interior.

3 Se va colocando la carne en un plato junto con la que se obtenga del caparazón, desechando la que no es comestible, que es esponjosa. Finalmente se coloca en la parte cóncava del caparazón toda la carne comestible.

4 En una cazuela de barro con aceite caliente se sofríe la cebolla, el puerro y la zanahoria bien picados. Cuando estén dorados, se incorpora una cucharada rasa de harina, otra de pimentón y el caldo del interior del centollo que se ha reservado. Se remueve bien y se añade el coñac; se flambea y seguidamente se incorpora el vino blanco, la guindilla y el tomate; se deja que hierva durante 20 minutos.

5 Para finalizar, se vierte la salsa en el caparazón del centollo, se mezcla con la carne, se espolvorea con pan rallado y perejil, se añade una nuez de mantequilla y se gratina para que se tueste la superficie. Se sirve en la misma concha del centollo.

Coca de atún

🚹	**4 personas**
🕐	**90 min y 12 h para desalar el atún**
👨‍🍳	**Difícil**
$	**Económico**
⚖️	**320 calorías**
🍾	**Cariñena**

Para la masa:
500 g de harina
125 g de manteca de cerdo
15 cl de aceite de oliva
10 cl de anís
1 huevo
Sal

Para el relleno:
125 g de atún en salmuera
1 kg de cebolla
1 tomate
30 g de piñones
15 cl de aceite de oliva
Perejil

1 Se pone a remojo el atún durante 12 horas para que se desale. También puede sustituirse el atún en salmuera por atún al natural, y entonces no es necesario este paso.

2 Se fríe en una sartén a fuego lento la cebolla bien picada. Cuando empiece a dorarse se añade el tomate, picado y pelado, y se rehoga todo durante 10 minutos.

3 Transcurrido este tiempo, se añade el atún desmigado, los piñones y el perejil, y se deja todo al fuego durante 5 minutos más. Se reserva el sofrito.

4 Para preparar la masa, se coloca la harina encima del mármol y se le añade la manteca de cerdo; se trabaja el conjunto hasta que se mezclen bien los ingredientes, y luego se coloca en un bol.

5 Seguidamente se añade el aceite bien caliente y la sal, y se remueve con una cuchara de madera, agregando si es necesario un poco de agua. Se incorpora el anís y se trabaja hasta obtener una masa fina.

6 A continuación, se extiende la masa con el rodillo de forma que tenga más o menos un centímetro de grosor. Se corta en dos trozos simétricos y se coloca uno de ellos en una bandeja de horno.

7 Por último, se extiende sobre la masa el relleno y se cubre con la otra capa de masa, uniendo bien las dos (haciendo presión en los bordes). Se unta la superficie con el huevo batido y se introduce en el horno precalentado a 180° durante 30 minutos.

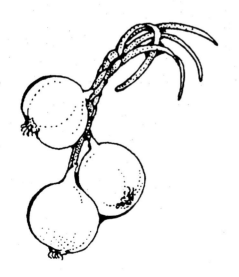

Cocochas en salsa verde

👤	**4 personas**
🕐	**15 minutos**
🍳	**Fácil**
$	**Alto**
⚖	**290 calorías**
🍾	**Chacolí de Guetaria**

600 g de cocochas bien limpias
1 cebolla mediana
4 dientes de ajo
1/2 guindilla
2 dl de vino blanco seco
20 g de pan rallado
Perejil picado
Sal
Pimienta
Aceite de oliva

1 En una cazuela de barro se calienta el aceite y se fríen la cebolla, los ajos y la guindilla bien picados.

2 En el momento en que estén bien dorados se agregan las cocochas, y se deja que se vayan haciendo a fuego lento durante 5 minutos.

3 Transcurrido este tiempo se agrega el pan rallado, el perejil picado y el vino blanco.

4 Finalmente, se salpimienta y se deja que hierva durante 5 minutos más.

Congrio con guisantes

👤	**4 personas**
🕐	**60 minutos**
👨‍🍳	**Fácil**
$	**Económico**
⚖	**380 calorías**
🍾	**Cigales**

1 kg y 1/2 de congrio
750 g de guisantes
1 cebolla
30 g de harina
2 dientes de ajo
1 manojo de hierbas aromáticas
Azafrán en rama
Perejil
Aceite de oliva
Sal

1 Para preparar este delicioso plato, en primer lugar se desgranan los guisantes. A continuación, en una cacerola, se calientan cuatro cucharadas de aceite y se rehoga a fuego lento la cebolla picada.

2 Cuando esté transparente, se riega con 1/2 l de agua y se incorporan las hierbas aromáticas. Al romper a hervir, se añaden los guisantes y se deja que cuezan a fuego fuerte hasta que estén tiernos (el caldo ha de quedar reducido a una taza y media aproximadamente).

3 Después, en un mortero, se machacan los ajos pelados, unas hebras de azafrán y un poco de perejil. Aparte, en una sartén, se calienta un poco de aceite y se rehoga en él la harina junto al majado del mortero. Se remueve bien y se vierte todo sobre los guisantes, dando un hervor hasta que la salsa espese.

4 En una fuente refractaria se coloca el congrio cortado en rodajas gruesas, se cubre con los guisantes y la salsa y se hornea a 180° durante 15 minutos.

Dorada rellena

👤	**4 personas**
🕐	**70 minutos**
👨‍🍳	**Media**
$	**Alto**
⚖	**420 calorías**
🍾	**Somontano**

1 dorada grande
250 g de camarones
8 cebollas pequeñas
1 diente de ajo
1 rebanada de pan grande
1 huevo duro
1 huevo
150 g de champiñones
20 g de mantequilla
2 dl de leche
2 dl de vino blanco seco
1 limón
4 tomates
1/2 kg de mejillones
Perejil
Sal
Pimienta
Aceite de oliva

1 En primer lugar se quitan las escamas de la dorada, se vacía y se saca completamente la espina central con cuidado para que no se rompan los lomos del pescado; se prepara un hueco para colocar el relleno.

2 Se rehogan en la mantequilla los champiñones limpios y picados y las cebollas.

3 Por otra parte, se desmiga la rebanada de pan y se remoja en la leche; se deja un par de minutos, y luego se saca y se aplasta con un tenedor junto con el huevo duro. Se le añaden los champiñones y las cebollas rehogadas, el perejil y el ajo picados y los camarones pelados. Se agrega un huevo batido, se salpimienta y se mezcla bien.

4 Se sazona con sal y pimienta el interior de la dorada y se reparte bien el relleno; se cierra el pescado con palillos. A continuación, se decora con medias lunas de limón y de tomate. Se salpimienta por fuera y se unta con un poco de aceite. Se vierte el vino blanco y se hornea durante 45 minutos a 180°.

5 Mientras el pescado se va haciendo, se limpian los mejillones y se abren en un poco de agua hirviendo con un chorrito de vino. Se rocía la dorada con este caldo colado. Por último, se decora el plato con los mejillones.

Langostinos con espárragos

👤	**4 personas**
🕐	**45 minutos**
🍲	**Fácil**
$	**Alto**
⚖	**350 calorías**
🍶	**Manzanilla**

24 espárragos blancos
500 g de langostinos
1 huevo duro
1 cebolla
1 limón
4 clavos de especia
10 g de mantequilla
10 g de azúcar
Laurel
Sal
Perejil
Aceite de oliva

1 En primer lugar, si los espárragos son frescos, se cortarán a unos 18 centímetros, se pelarán, se atarán en dos manojos y se hervirán en agua con sal, una cucharadita de mantequilla y una de azúcar; se dejará que cuezan aproximadamente 30 minutos. Una vez que estén fríos, se escurrirán y se reservarán.

2 A continuación, se hierven los langostinos durante 5 minutos en agua con sal, una hoja de laurel y una cebolla cortada por la mitad y pinchada con los clavos. Seguidamente, se escurren, se pelan y se dejan enfriar.

3 En una fuente se disponen los espárragos en círculo, colocando los langostinos por encima en forma de volcán. Se decora con el huevo duro cortado en cuatro trozos, alternando con rodajas de limón. Se espolvorea todo con perejil y se acompaña de una salsa mayonesa ligera.

Lenguado a la cerveza

👤	**4 personas**
🕐	**35 min y 1 h de maceración**
🍲	**Fácil**
$	**Alto**
⚖	**370 calorías**
🍾	**Rueda**

8 filetes de lenguado
5 dl de cerveza
120 g de mantequilla
300 g de champiñones
1 limón
5 tomates
25 g de harina
15 cl de crema de leche
Sal y pimienta

1 Se empieza por lavar los filetes de lenguado; a continuación, se secan y se ponen a macerar durante una hora en la cerveza.

2 Mientras tanto, se prepara la guarnición con los champiñones: se lavan con agua y zumo de limón, se secan y se cortan en láminas. Por otra parte, se escaldan los tomates en agua hirviendo, se pelan y se les quitan las semillas.

3 En una fuente untada con mantequilla se forma una capa con la mitad de los champiñones y la mitad de los tomates troceados. Encima se colocan los filetes

de lenguado, se sazonan con sal y pimienta y se forma otra capa de champiñones y de tomate; se rocía todo con la cerveza.

4 Seguidamente, se introduce la fuente en el horno previamente calentado a 200° y se deja 20 minutos. Transcurrido este tiempo, se sacan los filetes, que se mantienen calientes.

5 En un recipiente aparte se calienta la mantequilla, se incorpora la harina, se remueve bien y se añaden las hortalizas ya horneadas. Pasados unos minutos se agrega la crema de leche. Cuando la salsa esté densa, se vierte en una fuente de servir y se colocan sobre ella los filetes de lenguado que se han reservado.

Lenguado gourmet

👤	**4 personas**
🕐	**20 minutos**
🍲	**Muy fácil**
$	**Alto**
⚖	**430 calorías**
🍾	**Campo de Borja**

4 lenguados
4 huevos duros
Pan rallado
1 huevo
200 g de gambas
1 lata de espárragos en conserva
1 dl de caldo de pescado
20 g de harina
1 dl de crema de leche
20 g de mantequilla
Aceite de oliva
Sal y pimienta

1 Se limpia bien el pescado y se le quita la piel más oscura y la cabeza; se hace un corte en la cola. Se reboza con huevo y pan rallado.

2 Se fríe lentamente en aceite de oliva hasta que esté dorado por ambos lados.

3 Seguidamente, se pone a hervir el líquido de los espárragos y el caldo de pescado; se espesan con la mantequilla y la harina, y en ese momento se añade la crema de leche; se remueve bien. A continuación, se añaden los espárragos y las gambas peladas. Se salpimienta.

4 Por último, se coloca el pescado en una fuente, se abre, se le extrae la espina central y se le echa la salsa que habíamos preparado. Finalmente, se vuelven a colocar las dos partes, de forma que la salsa quede oculta. Se sirve decorado con los huevos duros.

Lubina al horno

👤	**4 personas**
🕐	**60 minutos**
👨‍🍳	**Fácil**
$	**Medio**
⚖️	**350 calorías**
🍾	**Priorat**

500 g de lubina
200 g de tomates
200 g de setas
1 cebolla
1 guindilla
1 dl de vino blanco seco
Orégano
Perejil picado
Tomillo
Albahaca
Ajo
Sal
Aceite de oliva

1 Se limpia y se escama bien el pescado. Una vez hecho esto, se pelan los tomates, previamente escaldados en agua hirviendo, y se eliminan las semillas; se pica el resto.

2 A continuación, en una cazuela de barro, se sofríen en aceite bien caliente el ajo, la cebolla, el perejil y la albahaca bien picados. Después de 5 minutos se añade el orégano, el tomillo, la guindilla, las setas limpias y el vino, y se espera a que se evapore el alcohol antes de añadir el pescado.

3 Una vez incorporado el pescado, se deja que cueza durante 10 minutos a fuego medio; en ese momento se introduce la cazuela en el horno precalentado a 180° y se hornea durante 40 minutos más, sazonando, vigilando la cocción y rociando con el propio jugo que suelta el pescado.

4 Por último, antes de servir, se espolvorea con perejil picado.

Mejillones al limón

👤	4 personas
🕐	25 minutos
🎩	Fácil
$	Económico
⚖️	320 calorías
🍾	Ribeiro

1 kg de mejillones
1 cebolla
1 puerro
2 zanahorias
1 diente de ajo
Orégano
Romero
Tomillo
1 dl de vino blanco seco
500 g de champiñones en conserva
1 limón
Perejil
Aceite de oliva
Sal

1 Primeramente, se pica bien la cebolla y el puerro, y se corta la zanahoria en rodajas finas. En una cazuela con aceite, se rehogan junto con el ajo durante 5 minutos.

2 Transcurrido este tiempo, se añaden las hierbas, la sal y el vino blanco, y se calienta a fuego vivo. Cuando comience a hervir, se incorporan los mejillones limpios y escurridos. Se sazona.

3 Cuando los mejillones se abran, se vierte por encima el zumo del limón y se espolvorea con perejil picado. Se sirven acompañados por los champiñones, previamente salteados.

Mejillones a la marinera

👤	4 personas
🕐	20 minutos
🎩	Fácil
$	Económico
⚖️	320 calorías
🍾	Montilla-Moriles

1 kg de mejillones
1 cebolla
1 dl de vino blanco
Pan rallado
Perejil
Laurel
Clavos de especia
Pimienta en grano
Pimentón
Sal

1 Se limpian bien los mejillones y se reservan. Seguidamente, en una cazuela grande, se calienta el aceite de oliva y se sofríe la cebolla muy picada, junto con el perejil, el laurel, el vino, los clavos de especia, sal y unos granos de pimienta.

2 Cuando la cebolla empiece a dorarse se añade una cucharadita de pimentón, otra de pan rallado y se incorporan los mejillones, que, al abrirse, irán soltando su jugo.

3 Finalmente, se deja que cuezan durante 6 minutos y se sirven en una de las valvas y espolvoreados con perejil.

Merluza con patatas y tomate

👤	**4 personas**
🕐	**45 minutos**
🍳	**Fácil**
$	**Alto**
⚖	**360 calorías**
🍾	**Utiel-Requena**

8 rodajas de merluza
500 g de patatas enteras cocidas
500 g de tomates
250 g de cebollas
3 puerros
3 dientes de ajo
Perejil
Azúcar
Harina
Pimienta
Sal
Aceite de oliva

1 Se calienta el aceite en una cazuela de barro grande y se echan las cebollas y los puerros picados, dos dientes de ajo y el tomate pelado sin semillas y cortado en dados. Se sazona con sal, pimienta y una pizca de azúcar, y se rehoga todo, dejando la cazuela tapada.

2 En el momento en que la cebolla esté tierna, se incorporan las rodajas de merluza previamente pasadas por harina y se envuelven con el sofrito.

3 Se cortan las patatas peladas y cocidas en ruedas y se colocan sobre la merluza. En un mortero se maja un ajo con el perejil, se le añade un poco de agua, se mezcla bien y se vierte sobre las patatas y el pescado.

4 Transcurridos unos minutos se retira del fuego, se tapa la cazuela con papel de aluminio y se introduce en el horno precalentado, cociendo a 160° 15 minutos.

Merluza con salsa de alcaparras

👤	**4 personas**
🕐	**25 minutos**
🍳	**Fácil**
$	**Medio**
⚖	**380 calorías**
🍾	**Navarra**

4 rodajas de merluza
30 g de alcaparras
2 dl de crema de leche
1 puerro
1 dl de vinagre blanco
1 yema de huevo
25 g de mantequilla
10 g de harina
Pimienta blanca
Sal
Arroz hervido
Aceite de oliva

1 Se limpia bien el pescado, se sazona, se pasa por harina y se fríe en una sartén con el aceite bien caliente, sin que quede demasiado dorado. Se escurre y se dispone en una fuente.

2 A continuación, se pica el puerro y se deja que cueza en un cazo con el vinagre, hasta que este haya reducido. Seguidamente, se añade la mantequilla, las alcaparras y la crema de leche, y se deja que cueza a fuego lento unos 5 minutos.

3 Al retirar la salsa del fuego se agrega la yema de huevo y se mezcla bien. Para finalizar, se cubre el pescado con esta salsa caliente y se rehoga el arroz hervido en un poco de mantequilla para servirlo junto con el pescado. Se salpimienta.

Mero con pimientos

👤	**4 personas**
🕐	**45 minutos**
👨‍🍳	**Media**
$	**Alto**
⚖️	**380 calorías**
🍾	**Rioja**

1 kg de mero en un trozo
6 pimientos verdes grandes
1 cebolla
25 g de harina
20 cl de vino blanco
50 g de mantequilla
Aceite de oliva
5 cl de vinagre
30 cl de caldo de pescado
Perejil
Pimentón
Laurel
Sal

1 Se asan los pimientos, hasta que la piel esté quemada; se pelan y se eliminan las pepitas; se pasan por agua fría.

2 A continuación, se limpia el pescado y se le quita la piel y las espinas; se espolvorea con sal y se envuelve en los pimientos, formando una única pieza. Seguidamente, se coloca el pescado envuelto en una fuente refractaria, se riega con la man-

tequilla derretida y se hornea durante 10 minutos. Transcurrido este tiempo, se incorpora el vino blanco y se hornea 5 minutos más.

3 Mientras tanto, en una sartén con aceite caliente, se rehoga la cebolla y el perejil picado con la hoja de laurel, y se añade el pimentón y la harina. Una vez bien mezclados los ingredientes, se agrega el vinagre y un tazón de caldo de pescado. Por último, se salpimienta y se cuece hasta que la salsa espese; en ese momento se pasa por el chino y se cubre con ella el pescado. Se sirve caliente.

Pez espada con almendras

👤	**4 personas**
🕐	**35 minutos**
👨‍🍳	**Fácil**
$	**Económico**
⚖️	**390 calorías**
🍾	**Yecla**

4 filetes de pez espada (emperador)
50 g de almendras peladas y fileteadas
2 limones
Cayena en polvo
Sal
Aceite de oliva

1 Para elaborar este plato de la gastronomía tunecina, se mezcla la sal con la cayena en polvo, y se untan los filetes de pez espada por ambos lados.

2 Seguidamente, se calienta el aceite en una sartén y se fríen las almendras hasta dorarlas, se sacan y se reservan. En ese mismo aceite se fríen los filetes por ambas caras.

3 Cuando los filetes estén en su punto se ponen las almendras por encima y se incorpora el zumo de los limones; se tapa la sartén y se deja que cueza durante 15 minutos.

Rape al ajo arriero

👤	**4 personas**
🕐	**50 minutos**
👨‍🍳	**Fácil**
$	**Alto**
⚖	**340 calorías**
🍾	**Cigales**

1 kg y 1/2 de rape
5 dl de salsa de tomate
2 cebollas
4 pimientos
2 dientes de ajo
Aceite
Sal

1 En primer lugar, se asan y se pelan los pimientos; se cortan en tiras.

2 Se limpia el rape y se corta en filetes, que se cuecen durante 10 minutos en agua con sal. A continuación, se calienta aceite en una cazuela de barro, se echa el ajo picado y la cebolla cortada en tiras y se rehoga hasta que la cebolla empiece a dorarse.

3 Llegados a este punto, se agrega el rape desmenuzado grueso, así como los

pimientos. Se rehoga todo durante unos minutos y se incorpora la salsa de tomate; se rectifica la sal y se da un ligero hervor. Se sirve caliente.

Rape a la marinera

👤	**4 personas**
🕐	**35 minutos**
👨‍🍳	**Medio**
$	**Alto**
⚖	**370 calorías**
🍾	**Rueda**

8 rodajas de rape
12 almejas
1 cebolla
2 dientes de ajo
2 pimientos morrones
50 g de puré de tomate
Pimentón
Pimienta
Azafrán
1/2 cubito de caldo de pescado
Perejil
Sal
Aceite de oliva

1 En una cazuela se calienta el aceite y se rehogan, bien picados, la cebolla, los ajos y la mitad del perejil.

2 Cuando empiecen a dorarse, se añade el puré de tomate, medio vaso de agua, una cucharadita de pimentón, una pizca de pimienta y sal. Pasados cinco minutos se incorporan el rape, los pimientos cortados en tiras y el azafrán, previamente machacado y disuelto con un poco de agua. Se mantiene a fuego lento unos 20 minutos.

3 En una sartén se ponen las almejas al vapor para que se abran, y se les quita una de sus valvas; se añaden al guiso 5 minutos antes de terminar la cocción; en ese momento también se incorpora el medio cubito de caldo de pescado. Este plato se sirve bien caliente, espolvoreado con perejil picado.

Salmonetes al estilo del Mar Menor

👤	**4 personas**
🕐	**35 minutos**
🍲	**Fácil**
$	**Económico**
⚖️	**340 calorías**
🍾	**Alella**

8 salmonetes grandes
150 g de puré de tomate
2 dl de vino blanco
1/2 limón
1 diente de ajo
Pimiento morrón
Pan rallado
Perejil
Sal
Aceite de oliva

1 Se limpian los salmonetes, se salan y se colocan en una cazuela de barro; se extiende sobre ellos el puré de tomate, el vino, el zumo del limón y el pimiento morrón cortado en tiras.

2 Seguidamente, se espolvorean con el pan rallado. En un mortero, se maja el ajo y el perejil, y se incorpora a los salmonetes.

3 Para finalizar, se rocían con un poco de aceite y se hornean durante 20 minutos a 180°. Se sirven con su salsa y adornados con rodajas de limón.

Sardinas rellenas

👤	**4 personas**
🕐	**35 minutos**
🍲	**Fácil**
$	**Económico**
⚖️	**400 calorías**
🍾	**Cariñena**

750 g de sardinas
20 g de piñones
20 g de pasas
8 filetes de anchoas en aceite
Pan rallado
2 dientes de ajo
1 huevo
Perejil
Hinojo
Laurel
Sal
Pimienta
Aceite de oliva

1 Para preparar este delicioso plato de la cocina sarda se limpian las sardinas, se les quita la cabeza y la espina y se dejan unidas por el lomo.

2 A continuación, se ponen las pasas a remojo, se pica el perejil, se pelan y se trocean los dientes de ajo, se cortan en pedazos los filetes de anchoa y se pone a calentar una sartén con un poco de aceite de oliva.

3 Se rehogan los ajos, los piñones, las anchoas y las pasas escurridas. Cuando empiecen a tomar color, se añaden dos cucharadas de pan rallado y el huevo batido; se mezclan bien todos los ingredientes y se incorpora el perejil, el hinojo, la sal y la pimienta.

4 Mientras, se enciende el horno a temperatura media (180°), se rellenan las sardinas con la masa preparada y se colocan en una fuente de horno ligeramente untada con aceite. Seguidamente, se espolvorean por encima con más pan rallado y se riegan con un poco de aceite de oliva. Se sazonan y se hornean durante 20 minutos.

Sepia con cebolla

⚲	4 personas
🕐	110 minutos
🍳	Fácil
$	Medio
⚖	340 calorías
🍾	Toro

500 g de sepias
1 kg de cebollas
100 g de tomate
50 g de piñones
Pimentón
Laurel
Sal
Aceite de oliva

1 Se pelan las cebollas y se cortan en gajos finos; por otra parte, se pica bien el tomate; por último, se limpian bien las sepias y se cortan en trozos pequeños.

2 En una cazuela de barro con aceite caliente se sofríe la sepia. En el momento en que esté dorada, se añade el tomate picado y los piñones; se rehoga todo y se agrega el pimentón. Cuando hayan transcurrido un par de minutos, se incorpora la cebolla y el laurel, y se mezcla bien.

3 Por último, se rectifica la sal, se tapa y se cuece a fuego muy lento durante una hora y media, dándole vueltas a menudo.

* El secreto de este plato es que la cocción se realice a fuego muy lento, para que la cebolla quede muy suave, casi confitada.

Truchas a la francesa

⚲	4 personas
🕐	35 minutos
🍳	Fácil
$	Económico
⚖	410 calorías
🍾	Jumilla

4 truchas de unos 300 g
200 g de almendras
100 g de mantequilla
2 limones
Perejil
Sal

1 Se limpian las truchas, se secan y se les hace un corte en el dorso. Seguidamente, se calienta la mantequilla en una sartén grande y se colocan las truchas, una vez sazonadas. Se cocinan primero por un lado y luego por el otro, moviendo la sartén para evitar que se peguen y se rompan. Cuando estén bien doradas, se colocan en una bandeja y se conservan calientes.

2 A continuación, en una sartén, se calienta una nuez de mantequilla, se añaden las almendras peladas y cortadas por la mitad y se doran.

3 Cuando estén doradas, se colocan por encima de las truchas, se sazona, se espolvorea con perejil picado y se rocía con el jugo de un limón.

* Se sirven decoradas con el limón restante.

Truchas a la navarra

👤	**4 personas**
🕐	**30 minutos**
👨‍🍳	**Fácil**
$	**Alto**
⚖️	**310 calorías**
🍾	**Valdepeñas**

8 truchas
4 lonchas de jamón serrano
Harina
Pimienta
4 patatas hervidas
Salsa ali-oli
Aceite de oliva
Sal
Perejil

1 Se lavan bien las truchas, se escaman y se les practica un corte longitudinal en el vientre. Una vez limpias, se introduce en cada una media loncha de jamón, se salpimientan y se rebozan en harina.

2 Seguidamente, se salpimientan y se fríen en una sartén con abundante aceite hirviendo hasta que tomen color; en ese momento se sacan y se deja que escurran sobre papel de cocina.

3 Se sirven bien calientes, espolvoreadas con perejil picado y acompañadas de una patata hervida con una cucharada de ali-oli por encima.

Vieiras horneadas

👤	**4 personas**
🕐	**15 minutos**
👨‍🍳	**Fácil**
$	**Alto**
⚖️	**330 calorías**
🍾	**Ribeiro**

12 vieiras
Pan rallado
1 cebolla
Perejil
1 dl de vino blanco
Aceite de oliva
Pimienta blanca
Sal

1 Primeramente hay que señalar que la vieira se cierra en su caparazón y ofrece resistencia, lo cual es señal de que está viva. Para abrirla habrá que hacer palanca en el vértice de unión con el utensilio de abrir ostras. Una vez abierta, se le quita la bolsa negra que contiene los desperdicios, procurando que no se rompa. A continuación se lava, y se deja dentro de una mitad de la concha.

600 g de atún en rodajas, 2 dientes de ajo, el zumo de medio limón, aceite de oliva virgen, sal
Introduzca en la batidora los dientes de ajo, el zumo de medio limón, un chorrito de aceite y una pizca de sal. Bata todo y unte las rodajas de atún con la emulsión obtenida. Ase las rodajas de atún disponiéndolas en una plancha bien caliente.

SARDINAS ASADAS

16 sardinas, aceite de oliva virgen, sal gruesa
Lave bien las sardinas y séquelas con papel de cocina. Sálelas y dispóngalas en una plancha bien caliente con unas gotas de aceite de oliva. Deles la vuelta para que se hagan por los dos lados, y sírvalas al momento.

BIZCOCHO DE ALBARICOQUES

3 huevos, 1 yogur natural, 1 medida (el vaso del yogur) de aceite, 2 medidas de azúcar, 3 medidas de harina, 100 g de orejones, ½ vasito de coñac

Ponga a remojo los orejones en el licor durante 30 minutos. Escúrralos y resérvelos. Bata los huevos, el yogur, el aceite, el azúcar y la harina, y disponga la masa del bizcocho en un recipiente cubierto de papel para horno; incorpore los orejones escurridos, y hornee a 180° hasta que el bizcocho esté hecho (al pincharlo con una aguja, esta ha de salir seca).

MACEDONIA DE FRUTAS

1 cestita de frambuesas, 1 cestita de grosellas negras, 1 racimo pequeño de uvas, ½ piña natural, 2 nectarinas, ½ vasito de licor de naranja, 1 vaso de zumo de naranja, 2 cucharadas de azúcar

Pele las nectarinas y la piña, y trocéelas; lave el resto de las frutas. Mezcle el licor con el zumo y el azúcar. Disponga en un bol la fruta, y riéguela con la mezcla. Déjela reposar en el frigorífico durante dos horas como mínimo antes de servir.

2 Seguidamente, se adereza con la cebolla trinchada fina, el perejil, unas gotas de aceite, unas gotas de vino blanco, la pimienta y la sal, y se introduce en el horno durante 5 minutos; transcurrido este tiempo, se le da la vuelta y se hornea 5 minutos más.

3 Por último, en el momento de servir, se espolvorea con pan rallado.

Zarzuela de pescado con marisco

👤	**4 personas**
🕐	**75 minutos**
🍳	**Difícil**
$	**Alto**
⚖	**420 calorías**
🍾	**Rías Baixas**

400 g de rape
400 g de mero
400 g de merluza
500 g de calamares
4 langostinos
4 cigalas
1 docena de mejillones
1 cebolla
3 tomates maduros
2 dientes de ajo
1 dl de vino blanco seco
1 dl de ron o coñac
Harina
6 almendras
2 galletas maría
4 dl de caldo de pescado
Perejil
Sal
Pimienta
Aceite de oliva

1 Para elaborar este plato, en primer lugar se limpian bien y se cortan en rodajas los distintos tipos de pescado. Por otra parte, se lavan los calamares y se cortan en anillos finos, y se enjuagan ligeramente las cigalas y los langostinos. Se salpimienta.

2 Se pelan y pican por separado la cebolla, los ajos y los tomates. Se limpian los mejillones y se cuecen al vapor hasta que se abran. Se enharina el pescado y los calamares.

3 En una sartén con aceite caliente se fríen las almendras hasta que se doren, y se reservan. A continuación, se fríen las cigalas y los langostinos, y luego se pasan a una cazuela de barro. Después se hace lo mismo con los calamares y el pescado.

4 Seguidamente, se dora la cebolla y, cuando empiece a tomar color, se agrega el tomate. Se fríe a fuego vivo y se le añade el vino blanco y el ron o coñac; se deja que se reduzca casi del todo. En ese momento se agrega el caldo de pescado y una pizca de sal, y se deja que hierva unos minutos antes de incorporarlo a la cazuela.

5 En un mortero se machaca el perejil, los dientes de ajo, las almendras fritas y las galletas hasta obtener una pasta muy fina, a la que se agregará un poco de caldo de la cazuela para diluirla. Por último, se vierte el majado sobre el pescado y el marisco, se reparte por igual, se rectifica la sal si es necesario y se cuece a fuego lento, con la cazuela tapada, durante 10 minutos; transcurrido este tiempo, se introduce en el horno precalentado a 180° unos minutos más.

6 Este plato se sirve caliente, espolvoreado con perejil picado.

Huevos

El huevo de gallina es uno de los alimentos que más se consumen en el mundo entero, debido a sus propiedades alimenticias y a las ventajas que proporciona su consumo. Se trata de un producto económico y muy nutritivo, que constituye por sí solo un plato, además de ser ingrediente fundamental en infinidad de recetas.

Los principios nutritivos del huevo son óptimos para equilibrar la dieta del ser humano. Calcio, hierro, riboflavina, vitamina A... y lípidos, que se encuentran en la yema y hacen que la capacidad digestiva disminuya a medida que esta se solidifica.

El principal problema que presenta es conocer su grado de frescura; para ello, se puede sumergir en un vaso de agua: si llega al fondo es signo de que está fresco, y, si sube hacia la superficie, no lo está.

Brik Bil Bayd

👤	**4 personas**
🕐	**35 minutos**
👨‍🍳	**Fácil**
$	**Económico**
⚖️	**300 calorías**
🍾	**Rueda**

8 obleas de masa de empanadillas
8 huevos
Pimienta
Aceite de oliva
Sal

1 Para preparar este plato tunecino, se comienza estirando la masa de las empanadillas de forma que quede muy fina.

2 A continuación, se coloca encima de una parte de la oblea un huevo crudo, se salpimienta y se dobla la masa sobre el huevo, arqueando los bordes hacia arriba y presionando con un tenedor.

3 Por último, se fríen los *brik* en abundante aceite caliente, hasta que se doren por ambos lados.

4 Una vez dorados, se retiran del aceite y se colocan sobre papel absorbente para eliminar la grasa sobrante.

5 Finalmente, se sirven bien calientes.

Huevos con anchoas

👤	**4 personas**
🕐	**45 minutos**
👨‍🍳	**Fácil**
$	**Económico**
⚖️	**350 calorías**
🍾	**Costers del Segre**

6 huevos
150 g de mantequilla
2 latas de anchoas
1 limón
1 cebolla
25 g de harina
5 dl de leche
Queso rallado
Sal
Pimienta

1 Para empezar, se cuecen los huevos, se pelan y se reservan. Se trocean las anchoas, y se machacan en un mortero junto con la mantequilla y el zumo de medio limón, hasta lograr una pasta uniforme.

2 Seguidamente, se cortan los huevos en rodajas y se colocan en seis recipientes individuales de barro o seis conchas de vieiras, intercalando la pasta de anchoas.

3 Aparte, se fríe la cebolla muy picada en una cucharada de mantequilla hasta que esté tierna. Se le añade una cucharada de harina, se rehoga y se incorpora la leche; se mantiene al fuego durante 5 minutos, sin dejar de remover.

4 Se cubren con esta bechamel los huevos, se espolvorea el queso rallado y se adorna con el resto de las anchoas, formando un enrejado; se hornea a 180° durante 10 minutos. Se salpimienta.

Huevos camperos

👤	**4 personas**
🕐	**40 minutos**
👩‍🍳	**Fácil**
$	**Económico**
⚖️	**390 calorías**
🍾	**Jumilla**

8 huevos
12 rodajas de chorizo
12 espárragos
400 g de guisantes cocidos
6 patatas cocidas de tamaño pequeño
Perejil
Pimentón
Sal
Pimienta
Aceite de oliva

1 El plato se prepara en cazuelas de barro individuales y en cada una de ellas se colocan tres cucharadas de aceite, tres rodajas de chorizo, cuatro espárragos, una patata cocida cortada en rodajas finas y la cantidad proporcional de guisantes.

2 Seguidamente, se introducen las cazuelas en el horno y se calientan a unos 180° durante 15 minutos. Transcurrido este tiempo, se rompen dos huevos en el centro de cada una, se salpimientan y se deja que cuajen.

* Antes de servir se espolvorean con perejil picado y un poco de pimentón.

Huevos croquetones

👤	**4 personas**
🕐	**55 minutos**
👩‍🍳	**Fácil**
$	**Económico**
⚖️	**350 calorías**
🍾	**Méntrida**

13 huevos
25 cl de bechamel
75 g de harina
Pan rallado
Aceite de oliva

1 Se cuece una docena de huevos hasta que estén duros. A continuación, se pasan por agua fría, se pelan y se cortan por la mitad, vaciando las yemas y reservando las claras.

2 Se preparan 25 cl de bechamel, y se incorporan las yemas picadas; se rellenan con esta pasta las claras. Es importante que se dé forma a la pasta de manera que imite la silueta de un huevo entero.

3 Se rebozan los huevos en harina, huevo y pan rallado, y se fríen en abundante aceite caliente.

* Pueden servirse acompañados de patatas paja y sobre un manto de salsa de tomate frito, o bien con guarnición de ensalada.

Huevos fritos con migas

👤	**4 personas**
🕐	**45 minutos**
👨‍🍳	**Fácil**
$	**Económico**
⚖️	**360 calorías**
🍾	**Ribera del Duero**

4 huevos
250 g de pan
2 dientes de ajo
Aceite de oliva
Sal

1 Se pica finamente el pan, se coloca en un bol y se cubre con agua y una pizca de sal. Se deja reposar unas dos horas.

2 Pasado este tiempo, se cuelan las migas y se dejan escurrir.

3 Seguidamente, se calienta un poco de aceite en una sartén y se fríen los ajos hasta que comiencen a dorarse; en ese momento se incorporan las migas y se fríen a fuego lento, sin dejar de remover. Cuando estén bien sueltas y doradas, se colocan en una fuente caliente y se rodean de los huevos, que se habrán frito en una sartén aparte.

* El plato puede acompañarse de rodajas de chorizo frito o de pimientos verdes también fritos.

Huevos a la mallorquina

👤	**4 personas**
🕐	**15 minutos**
👨‍🍳	**Fácil**
$	**Económico**
⚖️	**330-460 calorías**
🍾	**Alella**

4-8 huevos
100 g de sobrasada mallorquina
75 g de mantequilla
Sal

1 Para la preparación de esta receta es fundamental que los huevos al plato estén en su punto. Para ello, se precalienta el horno a unos 180°, y se introduce el recipiente en el que se van a preparar los huevos previamente engrasado con un poco de mantequilla.

2 A continuación, se cascan los huevos sobre este recipiente, se sazonan y se colocan pequeños trozos de sobrasada alrededor de la yema.

3 Se hornean durante 2 minutos y antes de servir se rocían con mantequilla caliente.

4 Se presentan acompañados de tostadas de pan.

Huevos con puerros

👤	**4 personas**
🕐	**35 minutos**
👨‍🍳	**Fácil**
$	**Económico**
⚖	**330 calorías**
🍾	**Calatayud**

6 huevos
500 g de puerros
1/2 limón
15 g de azúcar
50 g de mantequilla
Aceite de oliva
Pimienta
Sal

1 *Eggah bi Korrat* es un plato clásico de la cocina egipcia, cuya preparación se inicia limpiando bien los puerros y cortándolos en rodajas finas.

2 Seguidamente, se doran los puerros en una sartén con mantequilla y se les añade el zumo de medio limón, el azúcar, la sal y la pimienta. Se deja que cuezan durante 10 minutos.

3 Aparte, se baten los huevos, se les añade la sal y se mezclan bien con los puerros en un recipiente hondo.

4 Se calienta un poco de aceite en una sartén y se cuaja la mezcla por los dos lados, como si se tratara de una tortilla.

Huevos rellenos de atún

👤	**4 personas**
🕐	**45 minutos**
👨‍🍳	**Fácil**
$	**Económico**
⚖	**360 calorías**
🍾	**Rioja**

6 huevos duros
2 cucharadas de mayonesa
100 g de atún en aceite
10 g de alcaparras
1 pimiento morrón
Perejil
Lechuga

1 Se cortan los huevos duros en dos, y se retiran las yemas con mucho cuidado, para que no se rompan.

2 Seguidamente, se pica el atún muy fino hasta convertirlo en puré, y se mezcla con las alcaparras, la mayonesa y las yemas.

3 A continuación, con la ayuda de una cuchara, se rellenan las claras con la preparación realizada.

4 Por último, se colocan los huevos sobre unas hojas de lechuga y se decoran con una tira de pimiento morrón y una ramita de perejil. Se sirven fríos.

Huevos revueltos con setas

👤	**4 personas**
🕐	**20 minutos**
👨‍🍳	**Fácil**
$	**Económico**
⚖️	**330 calorías**
🍾	**Yecla**

6 huevos
250 g de setas de temporada
Aceite de oliva
Sal
Pimienta

1 Para preparar un buen revuelto, es aconsejable cocinarlo en porciones no muy grandes, para así obtener mejores resultados. Por tanto, será conveniente hacerlo en dos tandas. Primeramente, habrá que batir enérgicamente la mitad de los huevos durante un minuto.

2 Seguidamente, en una sartén, se saltean las setas ya limpias y cortadas en láminas muy finas, durante 2 minutos; cuando hayan soltado toda el agua, se escurren y se incorpora la mitad de estas a los huevos batidos. Se salpimienta.

3 En otra sartén, se cuaja el revuelto sin parar de remover hasta que esté dorado y en su punto. A continuación, se repite la operación con los huevos y las setas restantes.

Pastel de tortillas

👤	**4 personas**
🕐	**60 minutos**
👨‍🍳	**Fácil**
$	**Económico**
⚖️	**480 calorías**
🍾	**Bulla**

16 huevos
250 g de espinacas
1 pimiento rojo de lata
2 patatas
3 lonchas de panceta
1 trozo de gruyère
Perejil picado
Orégano
Sal
Pimienta
Aceite de oliva

1 Se limpian bien las espinacas y se cuecen en agua caliente con sal durante 10 minutos. Seguidamente, se pelan y se cortan las patatas en dados, y se doran en una sartén con aceite de oliva.

2 A continuación, se comienzan a realizar tortillas redondas de dos huevos cada una: dos francesas, con sal y pimienta; una de pimientos; una de gruyère; una de panceta (que previamente se habrá rehogado); otra de hierbas, y, para terminar, la de patatas y la de espinacas (cuyos ingredientes previamente se habrán picado y rehogado en una sartén).

3 Una vez que las tortillas estén tibias, se apilan colocando en la base una francesa, alternando a continuación los colores y terminando con otra francesa.

Tortilla española en salsa

👤	**4 personas**
🕐	**50 minutos**
🍳	**Fácil**
$	**Económico**
⚖	**340 calorías**
🍾	**Valle de Monterrey**

6 huevos
750 g de patatas
25 g de harina
Pimentón
Perejil picado
2 dientes de ajo
Cominos
Laurel
Aceite de oliva
Sal

1 Se pelan y se cortan las patatas en lonchas muy finas y se fríen a fuego lento en abundante aceite caliente, hasta que estén tiernas y queden casi deshechas; en ese momento, se sacan de la sartén y se escurre bien el aceite.

2 Seguidamente, se preparan dos tortillas de tres huevos cada una; para ello, se baten los huevos, se mezclan con las patatas y se cuajan las tortillas en una sartén. Se sazonan.

3 Para preparar la salsa, se calientan tres cucharadas de aceite en la sartén donde se han hecho las tortillas y se rehoga la harina y el pimentón; se incorporan después los ajos, los cominos, el perejil picado, el laurel y una taza de agua, y se deja que cueza todo durante aproximadamente 5 minutos.

4 Transcurrido este tiempo, se vierte la salsa sobre las tortillas y, sin dejar que se enfríe, se sirve espolvoreado con perejil picado.

Repostería y postres

Albaricoques nevados

👤	**4 personas**
🕐	**50 minutos**
👨‍🍳	**Fácil**
$	**Medio**
⚖️	**280 calorías**
🍾	——

8 albaricoques grandes
15 g de azúcar glaseado
8 pastas de almendra
Canela en polvo o la corteza rallada
   de un limón
6 cucharadas de mermelada de fresas
Aceite de oliva

1 Se lavan los albaricoques, se cortan por la mitad y se deshuesan.

2 Seguidamente, se disponen en una tartera untada de aceite, y se espolvorean con el azúcar. Se cuecen en el horno a 180 °C hasta que estén tiernos, pero no demasiado cocidos.

3 Mientras, se mezclan en un cuenco las pastas de almendra con la canela y la mermelada.

4 Por último, se sacan los albaricoques del horno y se colocan en la fuente de servir; se rellenan con el preparado de almendras, se espolvorean con azúcar glaseado y se sirven tibios o fríos.

Arroz con leche

👤	**4 personas**
🕐	**45 minutos**
👨‍🍳	**Fácil**
$	**Económico**
⚖️	**310 calorías**
🍾	——

200 g de arroz
1 limón
75 cl de leche
150 g de azúcar
Canela en polvo
Canela en rama
Agua
Sal

1 Se pone a calentar la leche con la cáscara del limón y la canela en rama. Se deja que hierva 5 minutos y se agrega el arroz, que previamente se habrá tenido a remojo en agua fría y se habrá escurrido bien. Se añade una pizca de sal.

2 Se prosigue la cocción lenta unos 25 minutos, con mucho cuidado para que no se pegue.

3 Cuando falten 5 minutos para terminar la cocción, se incorpora el azúcar y se quita la corteza de limón y la canela.

4 Se sirve el arroz, una vez que esté frío, en una fuente, espolvoreado con canela en polvo.

Baklawa

👤	**4 personas**
🕐	**90 minutos**
👨‍🍳	**Media**
$	**Medio**
⚖️	**380 calorías**
🍶	**Jerez dulce**

400 g de pasta de hojaldre
300 g de mantequilla
700 g de nueces, pistachos o almendras
400 g de azúcar
75 cl de agua
1 cucharadita de zumo de limón
2 cucharadas de agua de rosas

1 Para preparar este postre, muy popular en el este del Mediterráneo, se comienza preparando un jarabe. Para ello, se disuelve a fuego lento el azúcar en el agua y el zumo de limón, y se deja que hierva durante 10 minutos. Una vez transcurrido este tiempo, se añade el agua de rosas y se retira del fuego, se tapa y se deja enfriar.

2 Mientras, se estira con el rodillo la pasta de hojaldre, procurando que quede muy fina. A continuación, se unta con mantequilla, que se habrá mantenido en un lugar templado para que se ablande.

3 Seguidamente, se unta un molde de horno rectangular con la mantequilla y se coloca la mitad de las hojas de hojaldre, una encima de otra.

4 Por otro lado, se pican bien las nueces, pistachos o almendras peladas y se colocan encima; se tapa todo con el resto del hojaldre.

5 Se realizan unos cortes en la masa en sentido diagonal, formando pequeños rombos y llegando hasta el fondo del molde.

6 Por último, se introduce en el horno, precalentado a 180°, durante 25 minutos. Transcurrido este tiempo, se baja la temperatura a 150° y se deja durante 25 minutos más, hasta que el hojaldre esté crujiente y dorado.

7 Una vez templado el postre se vierte sobre él el jarabe que se ha preparado al comienzo y se deja que se enfríe totalmente antes de servir.

Crema catalana

👤	**4 personas**
🕐	**35 minutos**
👨‍🍳	**Fácil**
$	**Económico**
⚖️	**310 calorías**
🍶	**———**

1 l de leche
6 yemas de huevo
250 g de azúcar
1 corteza de limón
Canela en rama
2 cucharadas de harina de maíz

1 Se calienta la leche con 100 g de azúcar, media rama de canela y el limón, y se remueve bien hasta que se disuelve el azúcar.

2 A continuación, se baten las yemas con la harina de maíz, con cuidado para que no queden grumos. Se vierte la leche (caliente pero sin que hierva) poco a poco sobre las yemas, removiendo sin parar.

3 Seguidamente, se pone la cazuela a fuego suave y se cuece todo durante unos 5 minutos, removiendo.

4 Se reparte la crema en cazuelas individuales y, cuando esté fría, se espolvorea con azúcar, que se caramelizará con el quemador.

Galletas de canela

👤	**4 personas**
🕐	**45 minutos**
🍲	**Fácil**
$	**Económico**
⚖	**350 calorías**
🍾	**Málaga**

350 g de almendras ralladas
3 claras de huevo
300 g de azúcar glaseado
1 cucharada y media de canela en polvo
1 cucharada de zumo de limón
Azúcar de caña
Aceite de oliva

1 Se montan las claras a punto de nieve junto con el azúcar glaseado; se reservan 10 cl, y al resto se añade la canela, el zumo de limón y las almendras; se mezcla con mucho cuidado, con movimientos ascendentes amplios.

2 Se espolvorea la superficie de trabajo con azúcar de caña y se extiende la mezcla

en un espesor de 5 a 7 mm. Con una espátula, se extiende por encima la clara restante.

3 Con un molde pequeño se recorta la masa en 60 galletas aproximadamente.

4 Por último, se unta de aceite una tartera y se colocan en ella las galletas; se hornean a 250° en horno precalentado durante 35 minutos.

Helado de vainilla

👤	**4 personas**
🕐	**75 minutos**
🍲	**Fácil**
$	**Económico**
⚖	**210 calorías**
🍾	——

4 yemas de huevo
150 g de azúcar
1/2 l de leche
Vainilla en rama

1 Se comienza preparando una crema inglesa, trabajando las yemas de los huevos con el azúcar hasta que blanquee la pasta.

2 Seguidamente, se vierte encima la leche hirviendo, perfumada con la vainilla, y se remueve vivamente. Se pone al fuego sin dejar de mover, hasta que comience a hervir, pero evitando que lo haga por completo. Se retira inmediatamente, y se remueve unos segundos más fuera del fuego.

3 Una vez que la mezcla se haya enfriado, se deja toda una noche en la nevera y después se coloca en cubetas metálicas en el congelador durante unos 60 minutos.

4 Al cabo de este tiempo la mezcla habrá empezado a cuajar y se remueve todo hasta que quede una crema espesa y fina. Por último, se coloca de nuevo en el congelador hasta el momento de servir.

Leche frita

👤	**4 personas**
🕐	**30 minutos**
🎩	**Media**
$	**Económico**
⚖	**280 calorías**
🍶	————

1 l de leche
250 g de azúcar
80 g de harina de maíz
8 yemas de huevo
3 huevos enteros
1 rama de canela
Canela molida
80 g de mantequilla
Aceite
Harina
Azúcar glaseado

1 Se pone a hervir la mitad de la leche, con la canela en rama y el azúcar. En un recipiente aparte se diluye la harina de maíz con el resto de la leche fría y se incorporan las yemas batidas.

2 Se remueve hasta lograr una mezcla homogénea y se agrega cuidadosamente a la leche hervida sin dejar de remover. Transcurridos 5 minutos, se retira del fuego y se añaden 50 g de mantequilla blanda.

3 A continuación, se unta con la mantequilla restante una placa de molde rectangular y se vierte la preparación; se espera a que se enfríe, y en ese momento se corta en trozos regulares que se rebozarán en harina y huevo.

4 Una vez rebozados, se fríen en aceite muy caliente, y se colocan sobre papel absorbente para que escurra todo el aceite y antes de servir se espolvorean con azúcar glaseado y canela.

Morronchinos

👤	**4 personas**
🕐	**20 min y 24 h de reposo**
🎩	**Fácil**
$	**Económico**
⚖	**330 calorías**
🍶	**Condado de Huelva**

125 g de almendras tostadas
125 g de almendras crudas
150 g de azúcar
2 huevos

1 Se trituran las almendras muy finas, y se mezclan con el azúcar, un huevo entero y la yema de otro (del cual se reservará la clara en el frigorífico).

2 Una vez preparada la masa, se coloca en un recipiente y se tapa con un paño limpio; se deja que repose durante veinticuatro horas.

3 Transcurrido el tiempo de reposo, se añade a la masa la clara que se había reservado antes, bien batida, y se forman unas bolitas.

4 Por último, se colocan las bolitas en una fuente de horno engrasada, y se introducen en el horno precalentado a 200° durante 10 minutos.

Pan dulce

👤	**4 personas**
🕐	**70 minutos**
👨‍🍳	**Fácil**
$	**Medio**
⚖️	**450 calorías**
🍾	**Jumilla dulce**

250 g de harina de trigo tamizada
200 g de miel
100 g de chocolate fondant
75 g de almendras peladas y tostadas
75 g de fruta confitada
40 g de pasas
25 g de piñones
25 g de mantequilla
2 peras
1 cucharada de semillas de anís
1/2 sobrecito de levadura
Canela en polvo
1 dl de oporto
Aceite de oliva
Almendras peladas y tostadas y piñones
  para decorar

1 Se remojan las pasas en el oporto; mientras, se cuecen las peras en agua hirviendo, se va cortando la fruta confitada en dados y se trocea el chocolate. Una vez listas las peras, se pelan y se tamizan.

2 Se espolvorea la harina sobre el mármol en forma de lluvia, con las pasas, la fruta confitada, el chocolate, las peras, las almendras, los piñones, la mantequilla, las semillas de anís, la levadura y la canela.

3 Aparte, se diluye a fuego suave la miel con unas cucharadas de agua, se añade a los demás ingredientes y se mezcla.

4 Se unta de aceite una tartera, se vierte el preparado, se decora con las almendras y los piñones y se cuece en el horno precalentado a 180° durante unos 45 minutos.

Panellets

👤	**4 personas**
🕐	**60 minutos**
👨‍🍳	**Muy fácil**
$	**Económico**
⚖	**430 calorías**
🍾	**Alicante dulce**

*1/2 kg de almendras crudas peladas
y molidas
1/2 kg de azúcar moreno
1 boniato o una patata mediana hervida con
piel
1 huevo batido*

*50 g de piñones
50 g de almendras troceadas
50 g de almendras enteras peladas
100 g de coco rallado
5 g de canela en polvo
5 g de vainilla en polvo
Ralladuras de la corteza de un limón
Ralladuras de la corteza de una naranja*

1 Para elaborar este tradicional postre de la gastronomía catalana se empieza por lavar la patata o el boniato, que seguidamente se cuece con piel. Se deja enfriar y se pela.

2 Sobre una mesa o mármol enharinados, se mezcla el tubérculo con el azúcar, el huevo y las almendras molidas hasta que la masa no presente grumos y no se pegue a las manos (de 15 a 20 minutos).

3 Seguidamente, se forman los *panellets* con la masa, y se adornan con los ingredientes que se hayan elegido (chocolate, piñones, café...).

4 Se hornean de 7 a 10 minutos, a 180°.

Pastel de castañas

👤	**4 personas**
🕐	**85 minutos**
👨‍🍳	**Fácil**
$	**Económico**
⚖	**410 calorías**
🍾	**Condado de Huelva**

*500 g de castañas
25 cl de leche
Azúcar moreno
Vainilla en polvo
4 huevos*

1 Se pelan las castañas y se hierven.

2 A continuación, se aplastan y se colocan en un recipiente al fuego con un poco de leche, junto con el azúcar moreno, la vainilla y cuatro claras de huevo batidas, todo bien mezclado.

3 Seguidamente, se unta un molde con azúcar caramelizado, se vierte en él la mezcla y se cuece en el horno a fuego moderado durante un tiempo aproximado de una hora.

4 Con las cuatro yemas que habían sobrado, se hace una crema con la que se recubre el pastel una vez que lo hemos sacado del molde.

Pestiños

🧍	**4 personas**
🕐	**75 minutos**
👨‍🍳	**Difícil**
$	**Económico**
⚖	**260 calorías**
🍶	**Jerez dulce**

200 g de harina
3 cucharadas de aceite
1 dl de vino blanco
Unos granos de anís
Miel líquida
Una pizca de sal
Aceite de oliva

1 Se ponen a calentar tres cucharadas de aceite en una sartén; por otra parte, se pone a calentar también en un cazo el vino blanco.

2 A continuación, se coloca la harina en un recipiente, se vierte el aceite y el vino hirviendo y se añaden los granos de anís. Se remueve todo con una cuchara de madera hasta que se forme una pasta que se volcará en una superficie enharinada.

3 Seguidamente, se amasa la pasta con las manos, dándole forma de bola, y se deja reposar una hora en un sitio seco y fresco, tapada con un paño.

4 Transcurrido el tiempo de reposo se estira la pasta con el rodillo formando una capa muy fina, pero con cuidado para que no llegue a romperse.

5 Se corta la pasta en rectángulos de unos 10 × 5 cm aproximadamente. Se enrollan en diagonal y, con los dedos húme-

dos, se presiona el punto de unión para que al freírlos no se deshagan. Se fríen en una sartén con abundante aceite y, una vez dorados, se escurren y se bañan con miel líquida o azúcar.

Tarta de manzana

🧍	**4 personas**
🕐	**75 minutos**
👨‍🍳	**Fácil**
$	**Económico**
⚖	**320 calorías**
🍶	

Para la base:
1 huevo
100 g de mantequilla
200 g de harina
Raspadura de limón y algo de zumo
Sal
Agua
75 g de azúcar moreno o miel

Para el relleno:
500 g de manzanas peladas y troceadas
50 g de azúcar moreno
Zumo de 1 o 2 limones
Canela
Jengibre
Mantequilla

1 Se mezclan bien todos los ingredientes de la base, formando una masa que se extiende con el rodillo y con la que se forma el molde.

2 Después, con todos los ingredientes del relleno, se elabora una compota; se deja hervir hasta que espese.

3 Se rellena el molde con la compota, se decora encima con 2 o 3 manzanas grandes cortadas en rodajas y se cuece en el horno, a fuego fuerte al principio (200°) y, a continuación, bajando un poco la intensidad.

4 Cuando ya casi esté lista, se cubre con almíbar de limón y se deja en el horno unos minutos más. Antes de sacarla habrá que comprobar que está bien cocida por debajo. Una vez fría, puede pincelarse con un poco más de almíbar.

Tejas

👤	**4 personas**
🕐	**30 minutos**
🎩	**Fácil**
$	**Económico**
⚖	**340 calorías**
🍾	**Málaga**

70 g de mantequilla
2 claras de huevo
100 g de azúcar en polvo
50 g de harina
Unas gotas de extracto de vainilla
25 g de almendras molidas

1 Se engrasan con mantequilla dos placas de horno, y se calienta este a 180°.

2 Se ponen en un cuenco las claras de huevo y el azúcar, y se bate hasta que el conjunto quede espumoso. Luego se agrega la harina tamizada, la vainilla y las almendras. Se funde en un cazo la mantequilla y se añade a la mezcla.

3 Se combinan bien todos los ingredientes y cuando estén bien mezclados se colocan cucharadas de esta mezcla en las placas de horno, separadas unas de otras.

4 Se hornean 7 minutos, se retiran del horno y se colocan encima de un rodillo de amasar para que tomen la forma curvada antes de que se enfríen.

Zabaglione

👤	**4 personas**
🕐	**20 minutos**
🎩	**Fácil**
$	**Económico**
⚖	**260 calorías**
🍾	**_____**

4 yemas de huevo
80 g de azúcar
25 cl de vino de Marsala

1 Se baten las yemas de huevo con el azúcar hasta que adquieran un color blanquecino, y en ese momento se añade el vino de Marsala poco a poco, sin dejar de batir.

2 Seguidamente, se calienta la mezcla al baño maría, sin dejar de remover siempre en la misma dirección, hasta que adquiera una consistencia cremosa.

3 Por último se vierte la crema obtenida en copas.

* Esta crema se puede servir templada o fría.

Salsas

Ali-oli

👤	**4 personas**
🕐	**30 minutos**
🍲	**Fácil**
$	**Económico**
⚖	**160 calorías**
🍾	

4 dientes de ajo
1 yema de huevo
3 dl de aceite de oliva
Sal

1 En primer lugar, se pelan los dientes de ajo y se machacan en un mortero.

2 Seguidamente, se incorpora la yema de huevo crudo y una pizca de sal.

3 A continuación, se añade el aceite poco a poco, removiendo siempre en el mismo sentido hasta que la salsa empiece a espesar.

4 Una vez bien ligada la salsa, se coloca en una salsera y se sirve.

* Es una salsa deliciosa para acompañar todo tipo de carnes a la brasa.

Bechamel

👤	**4 personas**
🕐	**15 minutos**
🍲	**Fácil**
$	**Económico**
⚖	**110 calorías**
🍾	

25 cl de leche
30 g de harina
20 g de mantequilla
Nuez moscada
Pimienta blanca
Aceite de oliva
Sal

1 Se calienta la mantequilla y el aceite en una sartén o cacerola. A continuación, se retira del fuego y se añade la harina, sin dejar de remover, hasta que se diluya por completo.

2 Seguidamente se vuelve a poner al fuego y se va añadiendo la leche templada, poco a poco, sin dejar de remover con una cuchara de palo. La salsa estará bien ligada cuando al moverla se separe de las paredes del recipiente.

3 Finalmente, se sazona con la sal, la pimienta y un poco de nuez moscada.

Romesco

👤	**4 personas**
🕐	**45 minutos**
👨‍🍳	**Fácil**
$	**Económico**
⚖	**120 calorías**
🍾	———

2 pimientos rojos secos (ñoras)
2 tomates medianos
1 diente de ajo
1 trozo de guindilla
8 almendras tostadas
1 dl y 1/2 de aceite
4 cucharadas de vinagre

1 Se abren las ñoras y se quitan las pepitas; se ponen a remojo en agua fría durante unos 30 minutos. Transcurrido este tiempo se escurren bien y se sofríen, unos segundos solamente, y luego se trocean.

2 En un mortero se pica el ajo, se incorporan las almendras peladas y, a continuación, se añade la carne de los pimientos (sin la piel) y la guindilla; se machaca todo bien.

3 Luego se agrega el tomate cocido y triturado y, seguidamente, se aclara con vinagre; se vierte despacio el aceite, removiendo enérgicamente con un batidor.

4 Por último, se pasa todo por el colador chino.

* La salsa romesco combina muy bien con las patatas asadas y con cualquier tipo de verdura. Una sugerencia muy interesante es utilizarla sobre alcachofas asadas al horno.

Salmorreta

👤	**4 personas**
🕐	**10 minutos**
👨‍🍳	**Fácil**
$	**Económico**
⚖	**90 calorías**
🍾	———

3 ajos
2 ñoras
1 tomate
1 cebolla rallada
15 cl de aceite de oliva
Perejil
1/2 limón
Caldo de pescado

1 En un mortero se trituran los ajos pelados junto con las ñoras, la cebolla rallada, el tomate cocido y el perejil.

2 Seguidamente se añade el aceite con un chorrito muy fino y removiendo sin parar.

3 Si la salsa se espesa demasiado, se agrega un poco de caldo de pescado y el zumo de medio limón.

Salsa blanca al limón

👤	**4 personas**
🕐	**25 minutos**
👨‍🍳	**Muy fácil**
$	**Económico**
⚖️	**110 calorías**
🍶	——

3 dl de leche
20 g de harina
1 limón
100 g de almendras
Mantequilla
1 pastilla de caldo de pescado
Sal

1 Se disuelve la pastilla de caldo en la leche caliente.

2 Seguidamente, se rehoga la harina en la mantequilla y se vierte la leche poco a poco, removiendo continuamente y dejando que cueza durante unos 10 minutos aproximadamente.

3 Transcurrido este tiempo se añaden las almendras molidas y el zumo del limón.

4 Finalmente, se rectifica la sal y se deja al fuego otros 5 minutos.

* La salsa blanca al limón resulta muy adecuada para acompañar pescados, verduras y pastas.

Salsa de cebolla

👤	**4 personas**
🕐	**15 minutos**
👨‍🍳	**Fácil**
$	**Económico**
⚖️	**90 calorías**
🍶	——

1 cebolla
25 g de mantequilla
4 cucharadas de harina
25 cl de leche

1 Se pela y se pica bien la cebolla.

2 Seguidamente, se saltea en una sartén con la mantequilla.

3 Una vez dorada, se añade la harina y la leche, y se va removiendo con una cuchara de madera para evitar que se formen grumos.

4 Por último, se cuece a fuego moderado durante 3 minutos.

* Es una salsa muy indicada para acompañar al cordero.

Salsa de champiñones

👤	**4 personas**
🕐	**25 minutos**
👨‍🍳	**Fácil**
$	**Económico**
⚖️	**120 calorías**
🍾	——

60 g de champiñones
1/2 l de crema de leche
15 g de mantequilla
1 limón

1 Se limpian bien los champiñones y se cortan en finas láminas. Seguidamente, se saltean en un poco de mantequilla y, cuando empiecen a tomar color, se añade la crema de leche y el zumo de medio limón; se deja a fuego muy lento hasta que se reduzca casi a la mitad.

* Es una salsa deliciosa para acompañar todo tipo de carnes.

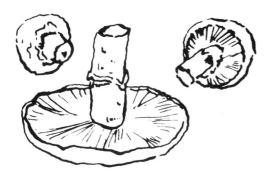

Salsa española

👤	**4 personas**
🕐	**210 minutos**
👨‍🍳	**Fácil**
$	**Económico**
⚖️	**140 calorías**
🍾	——

1 kg de carne de vaca de segunda
1 zanahoria
1 cebolla
1 puerro
1 kg de tomates
2 dl de vino blanco
2 dl de vino tinto
Laurel
Tomillo
Pimienta
Harina
Aceite de oliva
Sal

1 Se doran 4 cucharadas de harina en una sartén, con mucho cuidado para que no se queme.

2 Aparte, se pela y se pica la zanahoria, la cebolla y el puerro; se pone todo a dorar en una sartén con aceite de oliva.

3 Una vez listas las verduras, se ata la carne formando un rollo y se dora en una cazuela; se añade el sofrito del paso anterior, y luego se incorporan los tomates pelados y sin pepitas y la harina tostada; se rehoga todo durante 5 minutos.

4 Transcurrido este tiempo, se añaden los vinos, una hoja de laurel, una ramita de tomillo, pimienta, sal y dos litros de agua templada. Se remueve todo y se tapa; se deja que cueza a fuego lento durante 3 horas.

5 Finalizada la cocción, se retira la carne y se pasa la salsa por el pasapurés.

* La carne puede utilizarse para la elaboración de croquetas, canelones, etc.

Salsa al jerez

👤	**4 personas**
🕐	**30 minutos**
👨‍🍳	**Fácil**
$	**Económico**
⚖	**100 calorías**
🍾	**——**

1 cebolla
30 g de harina
Mantequilla
1 pastilla de caldo de carne
15 cl de jerez seco
Pimienta
Sal

1 Se disuelve la pastilla de caldo concentrado en medio litro de agua caliente. (Puede utilizarse también un caldo casero que se tenga ya preparado).

2 Seguidamente, se ralla bien la cebolla y se sofríe en mantequilla hasta que esté transparente. En ese momento se añade la harina y se vierte el caldo; se deja que cueza durante 20 minutos, removiendo.

3 Transcurrido este tiempo, se añade el jerez y se deja que cueza 3 minutos más.

* Es una salsa deliciosa para acompañar carnes y jamón.

Salsa de naranja

👤	**4 personas**
🕐	**30 minutos**
👨‍🍳	**Fácil**
$	**Económico**
⚖	**100 calorías**
🍾	**——**

5 dl de salsa española (véase la receta)
1 cebolla
2 naranjas
Aceite de oliva

1 Se ralla la cebolla y se dora en el aceite.

2 Una vez dorada, se añade el zumo de las naranjas y un poquito de ralladura de la piel.

3 Se deja que cueza hasta que se reduzca a la mitad.

4 Finalmente se añade la salsa española, se da un hervor a todo y ya puede servirse.

* Esta salsa resulta muy indicada para acompañar carnes, especialmente la de cerdo o la de pato.

Vinagreta

👤	**4 personas**
🕐	**10 minutos**
🍳	**Muy fácil**
$	**Económico**
⚖️	**160 calorías**
🍾	——

2 dl de aceite de oliva virgen
1/2 dl de vinagre
Sal y pimienta
1/2 cucharadita de mostaza (al gusto)

1 Se pone la sal y la pimienta en un recipiente y a continuación se añade el vinagre. Cuando la sal se ha disuelto, es el momento de agregar el aceite y de batir hasta que la mezcla emulsione (es decir, que pierda transparencia y espese). Normalmente se utiliza la proporción de 3 partes de aceite por una de vinagre, pero si es balsámico o de jerez (sabor más pronunciado) se puede reducir la cantidad.

* Una variante consiste en incorporar antes de batir un huevo duro, medio tomate y media cebolla pequeña muy finamente picados. Se utiliza con todas las ensaladas.

Menús

PRIMERA SEMANA

LUNES

COMIDA

Rollitos con sorpresa	90 cal
Canelones a la catalana	420 cal
Albaricoques nevados	280 cal

CENA

Crema de espinacas	190 cal
Pollo al ajillo	360 cal
Arroz con leche	310 cal

MARTES

COMIDA

Sopa marinera ibicenca	130 cal
Carne con salsa de granada	420 cal
Galletas de canela	350 cal

CENA

Calabacines en salsa	260 cal
Rape a la marinera	370 cal
Crema catalana	310 cal

MIÉRCOLES

COMIDA

Ensalada de col	170 cal
Potaje valenciano	200 cal
Helado de vainilla	210 cal

CENA

Guisantes a la vinagreta	260 cal
Tortilla española en salsa	340 cal
Baklawa	380 cal

JUEVES

COMIDA

Arroz a banda	390 cal
Sepia con cebolla	340 cal
Fruta del tiempo	40 cal

CENA

Lechuga al estilo del Pireo	150 cal
Ternera a la valenciana	410 cal
Fruta del tiempo	40 cal

VIERNES

COMIDA

Sopa de cebolla	120 cal
Pollo a la sidra	390 cal
Tejas	340 cal

CENA

Escalivada	90 cal
Lubina al horno	350 cal
Fruta del tiempo	40 cal

SÁBADO

COMIDA

Alcachofas con patatas	280 cal
Dorada rellena	420 cal
Fruta del tiempo	40 cal

CENA

Ensalada murciana	150 cal
Muslo de pavo con pimientos	380 cal
Crema catalana	310 cal

DOMINGO

COMIDA

Canapés mediterráneos	80-120 cal
Crema verde	110 cal
Ciervo al aguardiente	420 cal
Tejas	340 cal

CENA

Espárragos en ensalada	110 cal
Coca de atún	320 cal
Fruta del tiempo	40 cal

SEGUNDA SEMANA

LUNES

COMIDA
Brocheta marsellesa	130 cal
Bacalao al limón	350 cal
Fruta del tiempo	40 cal

CENA
Caldo umbro	160 cal
Ajillo moruno	340 cal
Galletas de canela	350 cal

MARTES

COMIDA
Crema corsa	140 cal
Escabeche de codorniz	390 cal
Fruta del tiempo	40 cal

CENA
Potaje casero	280 cal
Cocochas en salsa verde	290 cal
Arroz con leche	310 cal

MIÉRCOLES

COMIDA
Empedrat	310 cal
Almejas en salsa	320 cal
Crema catalana	310 cal

CENA
Cintas vegetales	370 cal
Huevos camperos	390 cal
Fruta del tiempo	40 cal

JUEVES

COMIDA
Arroz a la italiana	370 cal
Cerdo guisado con pimienta	410 cal
Fruta del tiempo	40 cal

CENA
Flan de patatas a la mallorquina	420 cal
Muslo de pavo con pimientos	380 cal
Fruta del tiempo	40 cal

VIERNES

COMIDA
Alubias rojas guisadas	380 cal
Caballa a la ateniense	370 cal
Morronchinos	330 cal

CENA
Alcachofas con patatas	280 cal
Carbonada	400 cal
Fruta del tiempo	40 cal

SÁBADO

COMIDA
Xató de Vilanova	220 cal
Truchas a la francesa	410 cal
Fruta del tiempo	40 cal

CENA
Ensalada siciliana	140 cal
Fricandó	420 cal
Fruta del tiempo	40 cal

DOMINGO

COMIDA
Cóctel mediterráneo	100 cal
Champiñones al estragón	210 cal
Estofado de jabalí	460 cal
Baklawa	380 cal

CENA
Lechuga al estilo del Pireo	150 cal
Merluza con salsa de alcaparras	380 cal
Fruta del tiempo	40 cal

TERCERA SEMANA

LUNES

COMIDA

Pinchitos de mejillones	110 cal
Börek	360 cal
Fruta del tiempo	40 cal

CENA

Gazpacho andaluz	140 cal
Cevapcici	460 cal
Arroz con leche	310 cal

MARTES

COMIDA

Crema de calabaza	180 cal
Estofado de toro	410 cal
Pan dulce	450 cal

CENA

Ensalada catalana	180 cal
Perdices mediterráneas	380 cal
Fruta del tiempo	40 cal

MIÉRCOLES

COMIDA

Escudella i carn d'olla	280 cal
Fruta del tiempo	40 cal

CENA

Conchillas con pimientos	310 cal
Carpa al vino tinto	350 cal
Pastel de castañas	410 cal

JUEVES

COMIDA

Arroz al horno	360 cal
Mejillones al limón	320 cal
Fruta del tiempo	40 cal

CENA

Patatas a la marinera	360 cal
Huevos con puerros	330 cal
Fruta del tiempo	40 cal

VIERNES

COMIDA

Espinacas a la catalana	320 cal
Langostinos con espárragos	350 cal
Albaricoques nevados	280 cal

CENA

Puré de apio	120 cal
Pastel de pollo	410 cal
Fruta del tiempo	40 cal

SÁBADO

COMIDA

Crema tunecina	120 cal
Buey en adobo	380 cal
Fruta del tiempo	40 cal

CENA

Rollo de acelgas	320 cal
Lenguado gourmet	430 cal
Tejas	340 cal

DOMINGO

COMIDA

Melón al Oporto	70 cal
Lasaña de berenjenas	330 cal
Conejo con aceitunas	370 cal
Helado de vainilla	210 cal

CENA

Sopa de champiñones	110 cal
Huevos a la mallorquina	330-460 cal
Fruta del tiempo	40 cal

CUARTA SEMANA

LUNES

COMIDA
Sopa de ajo	90 cal
Cordero al curry	380 cal
Pestiños	260 cal

CENA
Crema de espinacas	190 cal
Pavo con manzanas	360 cal
Fruta del tiempo	40 cal

MARTES

COMIDA
Ensalada de pepino al orégano	120 cal
Merluza con patatas y tomate	360 cal
Fruta del tiempo	40 cal

CENA
Fideos con cebolla	310 cal
Huevos con puerros	330 cal
Pan dulce	450 cal

MIÉRCOLES

COMIDA
Arroz con costra	430 cal
Pastel de Ankara	280 cal
Galletas de canela	350 cal

CENA
Patatas con sepia	330 cal
Mero con pimientos	380 cal
Fruta del tiempo	40 cal

JUEVES

COMIDA
Habas a la catalana	350 cal
Carne con salsa de granada	420 cal
Fruta del tiempo	40 cal

CENA
Hinojo a la griega	270 cal
Pastel de tortillas	480 cal
Baklawa	380 cal

VIERNES

COMIDA
Cebollas rellenas al gratén	290 cal
Suflé	350 cal
Crema catalana	310 cal

CENA
Puré de garbanzos	300 cal
Conejo con aceitunas	370 cal
Fruta del tiempo	40 cal

SÁBADO

COMIDA
Cocarrois mallorquín	400 cal
Tagliatelle de Ravenna	360 cal
Fruta del tiempo	40 cal

CENA
Zanahorias frías en vinagre	90 cal
Congrio con guisantes	380 cal
Helado de vainilla	210 cal

DOMINGO

COMIDA
Mini croquetas de pollo	130 cal
Puré de la huerta	190 cal
Besugo al horno	350 cal
Morronchinos	330 cal

CENA
Tomates al atún	130 cal
Börek	360 cal
Fruta del tiempo	40 cal

QUINTA SEMANA

LUNES

COMIDA

Lechuga a la griega	180 cal
Pastel de foie-gras	450 cal
Fruta del tiempo	40 cal

CENA

Esqueixada catalana	180 cal
Pichones al ajo	370 cal
Zabaglione	260 cal

MARTES

COMIDA

Sopa de invierno	115 cal
Pato a la naranja	380 cal
Leche frita	280 cal

CENA

Crema dorada	180 cal
Atún sabroso	350 cal
Fruta del tiempo	40 cal

MIÉRCOLES

COMIDA

Arroz a la genovesa	340 cal
Lenguado a la cerveza	370 cal
Fruta del tiempo	40 cal

CENA

Tallarines a la romana	390 cal
Pato con peras	380 cal
Tejas	340 cal

JUEVES

COMIDA

Ensalada de judías blancas con jamón	370 cal
Calamares en su tinta	330 cal
Tarta de manzana	320 cal

CENA

Patatas al vino	340 cal
Mero con pimientos	380 cal
Fruta del tiempo	40 cal

VIERNES

COMIDA

Berenjenas rellenas con pimientos	250 cal
Dorada rellena	420 cal
Fruta del tiempo	40 cal

CENA

Puré de guisantes	180 cal
Huevos croquetones	350 cal
Pastel de castañas	410 cal

SÁBADO

COMIDA

Lentejas estofadas	340 cal
Cordero al vino tinto	360 cal
Panellets	430 cal

CENA

Ensalada siciliana	140 cal
Truchas a la navarra	310 cal
Fruta del tiempo	40 cal

DOMINGO

COMIDA

Cóctel de gambas	110 cal
Pepinos mediterráneos	100 cal
Zarzuela de pescado con marisco	420 cal
Fruta del tiempo	40 cal

CENA

Puré de verduras	160 cal
Lasaña a la boloñesa	510 cal
Fruta del tiempo	40 cal

SEXTA SEMANA

LUNES

COMIDA

Olla podrida	300 cal
Croquetas de berenjena	200 cal
Fruta del tiempo	40 cal

CENA

Arroz a la italiana	370 cal
Hojas de parra rellenas a la griega	390 cal
Zabaglione	260 cal

MARTES

COMIDA

Espaguetis Catania	320 cal
Pierna de corzo con aceitunas	410 cal
Pestiños	260 cal

CENA

Crema griega	100 cal
Mejillones a la marinera	320 cal
Fruta del tiempo	40 cal

MIÉRCOLES

COMIDA

Sopa al jerez	90 cal
Pez espada con almendras	390 cal
Fruta del tiempo	40 cal

CENA

Patatas con carne	390 cal
Calamares rellenos	390 cal
Albaricoques nevados	280 cal

JUEVES

COMIDA

Arroz murciano	340 cal
Ternera a la valenciana	410 cal
Leche frita	280 cal

CENA

Puré marinero	150 cal
Liebre casera	420 cal
Fruta del tiempo	40 cal

VIERNES

COMIDA

Brik Bil Bayd	300 cal
Gallina en pepitoria	440 cal
Fruta del tiempo	40 cal

CENA

Espárragos en ensalada	110 cal
Rape al ajo arriero	340 cal
Fruta del tiempo	40 cal

SÁBADO

COMIDA

Garbanzos con espinacas	330 cal
Centollo relleno	360 cal
Fruta del tiempo	40 cal

CENA

Macarrones con pollo	340 cal
Huevos revueltos con setas	330 cal
Pan dulce	450 cal

DOMINGO

COMIDA

Tapenade	80 cal
Empedrat	310 cal
Guisado de cordero a la turca	420 cal
Tarta de manzana	320 cal

CENA

Crema libanesa	120 cal
Mero con pimientos	380 cal
Fruta del tiempo	40 cal

SÉPTIMA SEMANA

LUNES

COMIDA
Sopa de pescadores	100 cal
Tajín El Bargoug	430 cal
Pastel de castañas	410 cal

CENA
Puerros gratinados	260 cal
Pollo con berenjenas	380 cal
Fruta del tiempo	40 cal

MARTES

COMIDA
Tirabuzones mediterráneos	330 cal
Estofado de jabalí	460 cal
Fruta del tiempo	40 cal

CENA
Cocarrois mallorquín	400 cal
Lenguado gourmet	430 cal
Panellets	430 cal

MIÉRCOLES

COMIDA
Arroz del Ampurdán	410 cal
Bacalao «a la llauna»	360 cal
Tarta de manzana	320 cal

CENA
Patatas con pimientos	290 cal
Escabeche de codorniz	390 cal
Fruta del tiempo	40 cal

JUEVES

COMIDA
Puré de la huerta	190 cal
Estofado de toro	410 cal
Fruta del tiempo	40 cal

CENA
Crema de tomates	170 cal
Huevos con anchoas	350 cal
Fruta del tiempo	40 cal

VIERNES

COMIDA
Pastel de zanahorias con mozzarella	290 cal
Caldereta de langosta	360 cal
Pestiños	260 cal

CENA
Sopa de rabo de buey	110 cal
Coliflor al estilo del Pireo	220 cal
Fruta del tiempo	40 cal

SÁBADO

COMIDA
Patatas murcianas	350 cal
Fricandó	420 cal
Fruta del tiempo	40 cal

CENA
Espaguetis del Adriático	360 cal
Salmonetes al estilo del Mar Menor	340 cal
Zabaglione	260 cal

DOMINGO

COMIDA
Canapés de salmón ahumado	150 cal
Paella valenciana	440 cal
Vieiras horneadas	330 cal
Helado de vainilla	210 cal

CENA
Arroz frío	350 cal
Pastel de pollo	410 cal
Fruta del tiempo	40 cal

OCTAVA SEMANA

LUNES

COMIDA

Puré de patatas gratinado	200 cal
Carpas rellenas al estilo israelí	400 cal
Fruta del tiempo	40 cal

CENA

Tallarines napolitanos	330 cal
Merluza con salsa de alcaparras	380 cal
Fruta del tiempo	40 cal

MARTES

COMIDA

Potaje ampurdanés	220 cal
Pato con peras	380 cal
Arroz con leche	310 cal

CENA

Sopa de puerros	110 cal
Cerdo guisado con pimienta	410 cal
Fruta del tiempo	40 cal

MIÉRCOLES

COMIDA

Arroz negro rápido	330 cal
Salmonetes al estilo del Mar Menor	340 cal
Fruta del tiempo	40 cal

CENA

Patatas en salsa verde	280 cal
Ajillo moruno	340 cal
Pastel de castañas	410 cal

JUEVES

COMIDA

Judías blancas guisadas	340 cal
Fricandó	420 cal
Crema catalana	310 cal

CENA

Ratatouille estilo Niza	230 cal
Sardinas rellenas	400 cal
Fruta del tiempo	40 cal

VIERNES

COMIDA

Setas a la genovesa	300 cal
Muslo de pavo con pimientos	380 cal
Fruta del tiempo	40 cal

CENA

Judías alicantinas	250 cal
Buey en adobo	380 cal
Pan dulce	450 cal

SÁBADO

COMIDA

Alcachofas sicilianas	230 cal
Langostinos con espárragos	350 cal
Helado de vainilla	210 cal

CENA

Hinojo a la griega	270 cal
Atún sabroso	350 cal
Fruta del tiempo	40 cal

DOMINGO

COMIDA

Entremeses griegos	80 cal
Espinacas al horno	360 cal
Centollo relleno	360 cal
Galletas de canela	350 cal

CENA

Patatas rellenas	340 cal
Huevos con puerros	330 cal
Tarta de manzana	320 cal

Índice de recetas

SALSAS

Impreso en España por
DÉDALO OFFSET
Ctra. de Pinto a Fuenlabrada, km. 20800
28320 Pinto (Madrid)